Viva a sua missão

Bruno J. Gimenes

UM PROGRAMA PASSO A PASSO
PARA VOCÊ MUDAR O RUMO DA
SUA VIDA E ENCONTRAR A
SUA MISSÃO EM 7 SEMANAS

Acesse o link:
www.asuamissao.com.br/livro

E tenha acesso agora a uma série de vídeos gratuitos incríveis sobre este tema.

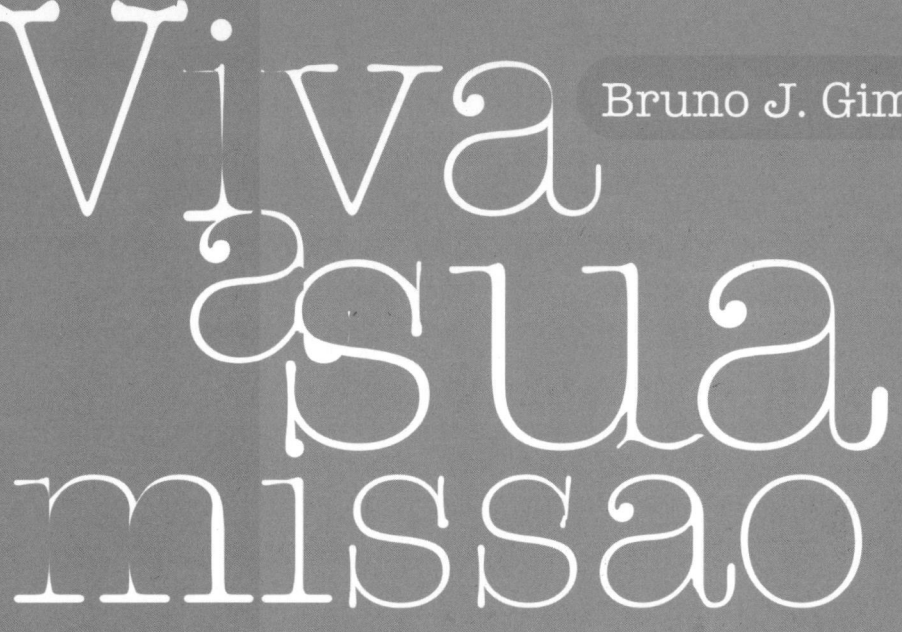

Viva a sua missão

Bruno J. Gimenes

UM PROGRAMA PASSO A PASSO
PARA VOCÊ MUDAR O RUMO DA
SUA VIDA E ENCONTRAR A
SUA MISSÃO EM 7 SEMANAS

4ª Edição / Nova Petrópolis-RS / 2019

Gerência:
Rackel Accetti

Comercial:
Rodrigo Ussenco Perdoná
Cíntia Caroline Ott Zimmermann
Karine Campos da Silva
Aparecida Tamion

Logística:
Eduardo Haas Camargo

Editorial:
Luana Aquino
Gislaine Monteiro

Capa e Projeto Gráfico:
Luciano Carneiro

Diagramação:
Leandro Padilha

Dados Internacionais de Catalogação na Publicação (CIP)

G491v   Gimenes, Bruno.
             Viva a sua missão / Bruno Gimenes. – 4. ed. – Nova Petrópolis : Luz da Serra, 2019.

             172 p. ; 23 cm.

             ISBN 978-85-64463-45-5

             1. Autoajuda. 2. Autoconhecimento. 3. Missão. 4. Felicidade. I. Título.

                                                CDU 165.24

(Bibliotecária responsável: Kátia Rossi Possobom – CRB 10/1782)

Todos os direitos reservados. Nenhuma parte desta obra pode ser reproduzida ou transmitida por qualquer forma e/ou quaisquer meios (eletrônico ou mecânico, incluindo fotocópia e gravação) ou arquivada em qualquer sistema ou banco de dados sem permissão escrita da Editora.

Luz da Serra Editora Ltda.
Avenida Quinze de Novembro, 785
Bairro Centro - Nova Petrópolis/RS
CEP 95150-000
editora@luzdaserra.com.br
www.luzdaserra.com.br
www.luzdaserraeditora.com.br
Fones: (54) 3281-4399 / (54) 99113-7657

Sumário

CAPÍTULO 1 – A MISSÃO GENÉRICA DE CADA UM – O REQUISITO BÁSICO QUE VOCÊ PRECISA CUMPRIR ANTES DE TUDO 21

VOCÊ ALGUMA VEZ JÁ REFLETIU SOBRE A SUA MISSÃO? 24

A LEI DA EVOLUÇÃO CONSTANTE AGE EM TODOS 25

O QUE É EVOLUÇÃO? 26

SITUAÇÕES QUE AFLORAM NEGATIVIDADES 27

OS SINAIS DO UNIVERSO 29

A BUSCA CONSTANTE PELO ALINHAMENTO 35

CAPÍTULO 2 – A MISSÃO ESPECÍFICA RELACIONADA A SEU TRABALHO E ATIVIDADE PRINCIPAL 57

SAIBA COMO VIVER, TRABALHAR, SER FELIZ E REALIZAR A MISSÃO NO MUNDO ATUAL 59

CAPÍTULO 3 – OS DOIS PRINCIPAIS PROBLEMAS NO CAMINHO DA SUA MISSÃO 79

OS DOIS PRINCIPAIS FATORES QUE O IMPEDEM DE REALIZAR A SUA MISSÃO E COMO CONTORNÁ-LOS 81

O QUE VOCÊ NÃO PODE FAZER!..86

PRINCÍPIOS VALIOSOS PARA A SUA TRANSFORMAÇÃO AGORA...89

CAPÍTULO 4 – OS SETE PASSOS - A ABERTURA DOS SETE FLUXOS... 97

UM PROGRAMA PASSO A PASSO PARA VOCÊ MUDAR TUDO! AGORA!..99

O QUE É ESSENCIAL ANTES DE COMEÇAR CADA FLUXO 100

1º FLUXO – O PROPÓSITO 102

2º FLUXO – A MATRIZ BÁSICA 108

3º FLUXO – A DIREÇÃO 115

4º FLUXO – O HÁBITO 125

5º FLUXO – A UNIÃO 133

6º FLUXO – A REFERÊNCIA 145

7º FLUXO – A VERDADE 154

7º FLUXO – A VERDADE 154

MENSAGEM FINAL 166

Eu agradeço...

  Dedico este projeto a todos os internautas que me acompanharam no nascimento deste livro pelo site asuamissao.com.br. De coração, agradeço pela companhia, pela energia, pelo incentivo e, principalmente, pelas histórias de transformação e mudança de rumo de vida que realmente me fizeram ver que este livro precisava ser escrito o quanto antes.

Olá, eu sou o Bruno J. Gimenes e, sinceramente, estou muito contente em encontrar você aqui neste espaço especial para falar do tema que eu vou abordar, que é a missão de cada um, o seu propósito nessa existência e como fazer para encontrá-lo e realizá-lo.

Eu vou mostrar-lhe neste livro:

∷ *Quais são as três missões genéricas e qual é a missão específica na vida de uma pessoa.*

∷ *O que fazer para reconhecer e realizar cada uma das missões.*

∷ *Os dois principais fatores que o impedem de realizar a sua missão e como contornar esse processo.*

∷ *Como o fato de não viver a missão da sua alma pode ser a principal causa de doença no seu corpo, na sua alma, problemas na sua autoestima e na sua prosperidade.*

∴ *E por último eu vou propor-lhe um programa de sete semanas, para você seguir passo a passo, detalhadamente, com objetivo de mudar o rumo da sua vida e realinhar o seu fluxo de energia pessoal para você encontrar e realizar a sua missão com um guia de sete passos que já foi testado e aprovado por muitas pessoas.*

Uau!!! Será que tudo isso é realmente possível com um simples livro?

Eu não sei exatamente o que você está pensando agora, mas o fato é que, se eu estivesse no seu lugar, estaria achando isso um grande exagero e que, falando assim, até parece que é fácil. Em outras palavras, se eu estivesse no seu lugar, estaria superdesconfiado de que essas promessas não passam de balela.

O fato é que eu estou falando desse tema e de como ele pode impactar a sua vida porque o que estou ensinando neste livro é algo que já mudou a vida de muitos alunos e leitores ao longo dos mais de 12 anos em que sou espiritualista, escritor, palestrante e terapeuta holístico.

As técnicas que estou abordando neste material inédito foram responsáveis não só para eu mudar totalmente o rumo da minha vida e construir hoje o que chamo de a vida dos meus sonhos, mas também foi responsável por mudar a vida de milhares de pessoas que já tiveram contato com todos os conteúdos que divulgo consistente e persistentemente desde 2002, em eventos presenciais, por meio de livros, em cursos on-line ou em conteúdos digitais em diversos sites.

Em parceria com Patrícia Cândido e com Luz da Serra, instituição da qual sou um dos fundadores, mantemos há mais de 10 anos, na internet, mais de cinco sites sobre a temática da espiritualidade, da evolução da consciência, do autoconhecimento e da missão da alma, e nesse período mais de 10 milhões de leitores já tiveram conhecimento de nossos vídeos, áudios e artigos sobre toda essa temática.

Como autor, já escrevi mais de 10 livros que tiveram em torno de 50 mil cópias vendidas. Como professor e palestrante, já ministrei cursos (boa parte deles em parceria com Patrícia Cândido) para mais de 50 mil pessoas. E também sou colunista de diversos sites e revistas, como *somostodosum.com.br* (o maior portal de espiritualidade da América Latina) e as revistas *Cristã de espiritismo* e *Caminho espiritual*.

Então neste momento você pode pensar que a minha vida é um mar de rosas e pronto! Mas eu lhe digo: a minha vida era um grande vazio... Hoje eu tenho certeza de que foi exatamente esse vazio enorme que eu sentia dentro do peito que me fez conseguir a força extra para revolucionar a minha história.

Eu sou natural de Salto no Interior de São Paulo, mas até os meus 11 anos de idade eu vivi na capital. Posso dizer que, quando me lembro dessa fase até os meus 11 anos, ou seja, até o momento que os meus pais decidiram voltar para o interior, a minha vida era muito triste. Eu sentia um peso horrível, estava sempre de mau humor, sempre triste e melancólico. E sentia realmente alegria apenas quando meus pais viajavam no fim de semana para Salto.

Então, em 1987, meus pais decidiram abandonar a capital para voltar para o interior e, naquele momento, a minha vida se iluminou. Eu era um menino extremamente tímido, medroso, chorão e falava sempre muito baixinho. Mas, com o convívio na cidade natal e com a proximidade dos meus primos, tios e avós, somado aos novos amigos que fiz, tudo começou a mudar muito e comecei a ser mais feliz a cada dia.

Então os anos foram passando e eu decidi fazer um curso técnico de química. Também posso dizer-lhe que me descobri nessa área. Gostei tanto, que não demorou nada para eu arrumar um estágio na Indústria e me destacar na profissão. Também segui os estudos na mesma área e me formei mais tarde no nível superior em química industrial.

As coisas foram acontecendo rápido, fui conquistando uma condição melhor, tanto financeira quanto de reputação, e digo que, para minha pouca idade, na época eu era um destaque.

Só que, com uma oportunidade nova de trabalho, surgiram emoções conflitantes que eu ainda não tinha curado, como tristeza, raiva, depressão, desejo de desistir e um imenso vazio no peito. Seis meses depois de aceitar esse novo desafio profissional em uma outra indústria, fui afastado por sugestão médica para tratar-me de um estresse profundo. Fiquei 45 dias de licença.

Tinha algo muito estranho dentro de mim, que rasgava a minha alma e dizia aos meus sentidos que aquilo não era uma vida real, que não havia um propósito. Mas na época eu não sabia entender os sinais da alma, era muito impetuoso e destemperado para compreender.

Então comecei a rezar... Rezar muito... Pedia a Deus que me mostrasse um caminho de mudança, porque a vida que eu estava vivendo não estava certa. Vivia alcoolizado, estava sempre doente, brigava com os meus pais, com os meus irmãos e estava triste.

Inclusive criei um conteúdo dedicado a explicar todas as técnicas de orações que eu usei durante todo esse período e de que forma elas contribuíram para mudar a minha vida. Esse material todo você pode encontrar no blog www.ochamadodaluz.com.br.

Não demorou muito tempo para que novidades começassem a surgir, e então fui convidado para um novo e desafiador trabalho. Só que desta vez ele exigiria que eu abandonasse a minha família e fosse morar sozinho pela primeira vez a mais de 1.000km de distância. Depois de sentir muitos medos e incertezas, aceitei a proposta e me transferi para Porto Alegre, no Rio Grande do Sul, para recomeçar a minha vida...

Lembro-me de conhecer apenas duas pessoas no RS e de simplesmente não saber nem por onde começar toda essa transformação, mas senti verdadeiramente que era esse o caminho.

Foi difícil... Ah como foi difícil...

Morar sozinho pela primeira vez e sem conhecer praticamente ninguém... A adaptação foi sofrida, a saudade da família, os enormes gastos e as contenções de despesas para organizar tudo, me privaram muito algumas oportunidades. Mas, mesmo assim, eu posso dizer que venci o desafio.

Não demorou muito e fui muito bem reconhecido na empresa em que trabalhava, também construí amizades sólidas como se fossem a minha própria família. Renasci outra vez, e essa experiência realmente me transformou em uma nova pessoa.

E então comecei novamente a crescer na profissão e me familiarizar com amigos e com a sociedade em que eu convivia. Estava dando tudo certo, só tinha um pequeno probleminha...

Embora gostasse do meu trabalho e da minha nova vida, eu simplesmente não era feliz e tinha dentro de mim aquele enorme e velho vazio. E também vivia doente...

E fui piorando a cada dia até que decidi tomar uma atitude e mergulhei nos estudos das terapias naturais, do autoconhecimento e da espiritualidade. E foi isso que me fez renascer mais uma vez.

Empolguei-me e dediquei-me tanto que não demorou muito tempo para que eu criasse coragem e me desligasse da empresa para dessa vez investir em uma profissão completamente diferente: professor espiritualista e terapeuta holístico.

Os meus amigos, meus pais e pessoas próximas acharam que eu estava ficando um louco fanático, pois como poderia eu deixar de lado um emprego tão bom na engenharia de processo de uma empresa bem conceituada, com um salário acima da média, para me dedicar a um trabalho incerto?

Posso dizer-lhe que enfrentei muitas resistências, mas ainda bem que acreditei na minha visão interna e segui persistindo em busca dos meus sonhos.

Nos dois primeiros anos como terapeuta holístico, eu me virei bem com as contas e com o aspecto financeiro, pois havia feito uma reserva de dinheiro da época em que atuava como químico industrial. Mas, como a forma com que eu lidava com a minhas finanças era errada, somada aos erros que cometia na maneira de cobrar pelo meu trabalho, minha vida financeira começou a ruir...

Eu adorava ajudar as pessoas. Atendia muita gente diariamente, ministrava cursos à noite e aos fins de semana, mas o que cobrava pelo meu trabalho era irrisório e não cobria as principais despesas, como hospedagem e deslocamento entre as cidades onde eu atuava.

E o pior começou a acontecer... As pessoas e familiares próximos começaram a questionar e diziam que eu tinha entrado em um barco furado... Passei por muitas privações nessa área... E no alto das minhas crises, mergulhado em profundos conflitos que me torturavam com pensamentos do tipo "o que eu estou fazendo de errado?", eu sofri um grave acidente de carro.

Hoje, aproximadamente 10 anos depois de ter passado por esse que foi o pior e o melhor momento da minha vida, eu já tenho uma leitura muito mais clara e objetiva dos motivos pelos quais precisei (do ponto de vista de aprendizados) passar por essa situação.

E digo que foi o pior momento porque, além de quase morrer após colidir frontalmente com um caminhão, fiquei morando de favor na casa de amigos, me afundei em dívidas e não podia trabalhar, sentia muitas dores com a fratura do osso esterno e com as lesões por todo o corpo.

Estava caído na lona... Mas foi nesse momento também que comecei a aprender coisas que eu nunca havia percebido antes e também foi o momento em que mais recebi ajuda de parentes e amigos que me deram toda a estrutura para que eu pudesse renascer mais uma vez.

Quando comecei a me recuperar fisicamente, também tive a notícia de que a seguradora, por motivos que até hoje não sei direito, simplesmente decidiu não pagar o carro que perdi no acidente, o qual era devidamente assegurado.

As minhas dívidas aumentaram mais ainda e o sentimento de vítima e injustiça ficaram muito fortes. Hoje, anos mais tarde, percebo que nem os danos físicos e emocionais que sofri com o acidente foram tão graves e negativos para a minha alma quanto aquele sentimento de "vítima do mundo" que me tomava.

Mesmo tendo uma recuperação física maravilhosa, fruto de muitas técnicas naturais, espirituais e energéticas e do apoio de alunos e amigos, eu ainda estava preso ao sentimento de injustiça devido ao problema com a seguradora.

Foi quando um dia, após uma conversa com a minha amiga Patrícia Cândido, eu simplesmente despertei daquele sentimento negativo e decidi começar um novo capítulo na minha vida.

Levantei as mãos aos céus, pedi ajuda a Deus e comecei, mais uma vez, um novo caminho, um novo desafio.

Reorganizei as contas, a minha vida, as metas, fase que demorou quase três anos. Mas o que me chamou mais a atenção foi que, logo depois que despertei daquele sentimento ruim de injustiça, consegui me dedicar a um projeto que fez com que em 21 dias eu escrevesse o livro *Decisões - encontrando a missão da sua alma*. E esse livro foi um sucesso tão grande que teve a sua primeira edição esgotada em apenas três meses.

Quando coloquei a cabeça no lugar, alinhei-me com a minha missão e comecei a aplicar de verdade tudo aquilo que havia estudado nos diversos cursos e aprendido com os livros que tinha devorado. Comecei a separar o que realmente servia e dava resultado daquilo que não servia.

Então fui construindo um caminho, com passos, métodos, conceitos, e à medida que eu atendia em consultório como terapeuta holístico (fiz mais de 3.000 atendimentos, mas atualmente não atuo mais individualmente) e ministrava os mais diversos cursos, eu pude sintetizar um conjunto de atitudes e comportamentos que são especialmente eficientes para qualquer pessoa encontrar e realizar a missão de sua alma, diminuindo muito as chances de enfrentar os problemas que eu enfrentei e principalmente conseguindo encontrar resultados rápidos, ou seja, que não demorassem o tempo que levou para mim.

E é por isso que eu estou muito feliz de estar aqui com você para lhe mostrar os caminhos que descobri e que fizeram com que eu conseguisse realizar a missão da minha alma e consequentemente conquistasse a vida dos meus sonhos.

Hoje tenho a vida dos meus sonhos. Nós (eu, a Patrícia Cândido e a equipe Luz da Serra) estamos há mais de 10 anos nessa caminhada, e os especialistas americanos dizem que "o sucesso da noite para o dia acontece em 10 anos". É o nosso caso, graças a Deus, porque depois de 10 anos o nosso trabalho decolou. E, quando estou aqui escrevendo um livro, me expondo e expondo o meu conhecimento, me cobro muito para que eu seja o exemplo.

Eu trouxe para esse material uma síntese e sei que tem muita gente esperando muita coisa espiritual de mim. Eu vou dar no finzinho uma parte bem espiritual, que vai fazer uma grande diferença. Isso porque tenho o costume de falar muito sobre o lado espiritual da vida e como este aspecto influencia tudo.

E como disse, eu tenho a vida dos meus sonhos, graças a Deus. Hoje não tem nenhuma área da minha vida em que esteja faltando alguma coisa. Nem alguém com o pensamento mais inusitado, mais exagerado, poderia imaginar que eu conquistaria a vida que eu tenho hoje, a família que tenho com pessoas que me amam, o meu trabalho, os amigos que tenho no trabalho, a cidade em que moro, os bens materiais, a renda, o patrimônio, os meus animais de estimação. Por isso, eu quero mostrar tudo aquilo que construí e quais foram os principais segredos que utilizei para isso.

É muito difícil para um espiritualista como eu falar sobre isso, porque na nossa área, quando você fala com essa confiança que estou passando, muitas pessoas dizem: "Ah, veja o ego dele".

Não, isso não é ego, não. Sabe o que é?

Deixe-me explicar...

Considero um grave erro alguém afirmar que é humilde, pois somente o fato de expressar, já demonstra que a pessoa não é. Eu não me acho humilde, mas quando você está com os pés no chão, sabe quem você é e para onde você vai, você vive a humildade, porque a palavra humildade vem de "húmus", que quer dizer "terra". Então, neste momento, talvez eu pareça arrogante, mas quero transmitir a síntese daquilo que funciona para que você viva a vida conforme a Nova Era pede. Você precisa viver o seu melhor e existe um caminho, sim.

E é por isso que faço o que faço, porque acredito com todas as forças do meu ser e me motivo com o fato de que, se uma pessoa encontrar e realizar a missão da sua alma, ela se realiza plenamente. Essa motivação me guiou a escrever este livro, me guia a continuar o meu trabalho, porque, quando recebo um depoimento de alguém que seguiu as técnicas que ensino e depois me diz que transformou a sua vida para melhor e da sua família também, sinto o quanto tenho condições de ajudar a construir um mundo melhor.

Penso na quantidade enorme de sofrimento que produzi nos meus anos anteriores e como seria bom se alguém pudesse ter me alertado da importância de viver a missão da minha alma e que principalmente me ensinasse como trilhar esse caminho. E é por isso que estou comprometido com este trabalho!

Então eu espero que esta síntese de tudo o que deu certo de mais de dez anos de trabalho, que eu vou explicar para você, transforme a sua vida. E eu vou lhe mostrar a essência de tudo o que realmente deu certo para minha vida.

Você poderá em breve, expandir as suas qualidades, virtudes e transmutar com amorosidade e suavidade os seus pontos negativos.

Então, agora vamos decifrar os segredos desta fórmula que eu uso e que você também vai querer usar para ter uma vida incrível.

Capítulo 1

A missão genérica de cada um

o requisito básico que você precisa cumprir antes de tudo

Qual é a missão da sua alma? Em outras palavras, o que você está fazendo aqui na Terra? Qual é o seu propósito aqui? Já parou para pensar sobre isso?

Pois é, eu, infelizmente, comecei a pensar profundamente sobre isso depois de um acidente, um susto que surgiu na minha vida: bati de frente com um caminhão. E, depois daquela experiência terrível - uma experiência dura, difícil -, comecei a refletir profundamente sobre a missão da minha alma. E também, através desse acidente, tive o entendimento de que, a partir daquela ocasião, eu deveria agir diferente.

E uma das formas de agir diferente seria fazer o que estou propondo aqui para você, estimulando que as pessoas possam pensar na missão de suas almas, no propósito de suas existências e, em especial, sobre os papéis de cada um nas relações, na família, no trabalho, na autoestima, na prosperidade e em tantas áreas da nossa vida.

Quero explorar com você aqui o entendimento de que, quando não estamos vivendo o nosso papel, afetamos a área de alguém, entrando num campo de energia de uma pessoa ou deixando que pessoas entrem no nosso campo de energia. Em outras palavras, quando nos desequilibramos na nossa missão, nos nossos papéis, no entendimento de quem nós somos e do que estamos fazendo aqui nesta vida, o que acontece? Sofrimento. Em todas as suas formas, todas as derivações do sofrimento, todas as derivações do medo.

VOCÊ ALGUMA VEZ JÁ REFLETIU SOBRE A SUA MISSÃO?

Vamos lá. Você já parou para pensar qual é a missão de sua alma? Você já parou para pensar se você tem uma missão? Já pensou nisso alguma vez na sua vida?

Certamente, em algum instante, em algum momento da sua vida, você já parou para refletir sobre isso, não é mesmo?

De alguma maneira você já pensou: "Ah, o que será que eu tenho que fazer nessa vida?".

Ou olhou para cima, meditou e olhou para a natureza e percebeu que tem algo muito maior do que nós, tem algo muito poderoso que nos envolve. E, naquele momento de expansão, de conexão com Deus, você se questionou sobre qual seria a missão da sua alma, não é verdade?

Então, é dentro desse contexto que nós precisamos desenvolver um entendimento de como descobrir qual é a missão da nossa alma e, uma vez que tivermos esse entendimento, saberemos como agir no sentido dessa missão. Porque não adianta nada entender qual é a missão da nossa alma e depois não agir nesse sentido.

Encontrar e realizar a sua missão: esse é o ponto.

E, acima de tudo, muita gente se assusta dizendo "Poxa, será que eu preciso bater o carro para entender qual é a missão da minha alma? Ou será que eu preciso ficar doente? Ou será que eu preciso de que para definitivamente entender as mudanças e agir nesse sentido"?

E outras pessoas se preocupam também "Mas eu gosto tanto do meu emprego, eu gosto tanto do meu trabalho, eu gosto tanto da minha família e da minha vida, eu tenho que fazer mudanças para encontrar a missão da minha alma"?

Bom, em primeiro lugar, se você gosta do seu emprego, gosta da sua família, gosta da vida que vive e está se sentindo bem, está se sentindo preenchido ou preenchida, já tem indícios de que as coisas estão certas. Nós fazemos mudanças a partir do momento em que entendemos que elas são necessárias.

A LEI DA EVOLUÇÃO CONSTANTE AGE EM TODOS

Mas vamos lá, por que a questão da missão da alma é tão importante?

Muitas pessoas falam "Minha vida está boa, eu não quero mudar". Então, vamos começar ao contrário?

O não entendimento, a não compreensão de que você tem uma missão de alma e, consequentemente, não realizar essa missão, pode gerar consequências. Vamos entender o seguinte, há no Universo uma lei universal de evolução constante. Haja o que houver, aconteça o que acontecer, você precisará seguir evoluindo, eu precisarei, todos nós vamos evoluir. Nada está parado nesse mundo, tudo está em movimento, até mesmo coisas que nós achamos que estão paradas, estão em movimento seja pelo movimento molecular, seja pela agitação dos átomos, ou seja, exatamente, porque em referência a um planeta, em referência a um sol, em referência a uma lua, em referência a outros astros, tudo está em movimento, certo?

Pois é, o que promove essa visão é o entendimento da lei da evolução constante. A lei da evolução constante diz o seguinte: "Haja o que houver, aconteça o que acontecer, você precisa seguir evoluindo". Então, em primeiro lugar, a nossa missão de forma genérica é evoluir. Faz sentido, não é? Nós percebemos nas palestras, nos cursos, nos atendimentos de consultório, no contato com o público que todo mundo parece ser unânime nesse pensamento. Portanto, tudo indica que evoluir parece ser a missão de cada um.

O QUE É EVOLUÇÃO?

E o que significa evoluir, então?

Evoluir significa curar as nossas emoções inferiores. Melhorar os sentimentos, as emoções, aprimorar a moral, em todas as áreas da nossa vida, crescer, entender, se expandir, aumentar a felicidade, aumentar o sentimento de amor, aumentar o sentimento de alegria e plenitude pela vida.

Faz sentido?

Claro que faz. Dalai Lama disse certa vez que "A missão de cada um é ser feliz". Isso parece incrível, não é mesmo? "A missão de cada um é ser feliz." Muito bonito, gosto muito dessa expressão. Só que o que ele se esqueceu de dizer – e ele é muito bem-humorado – é que, para você ser feliz, precisa curar um monte de coisas antes. Então, na palestra dele a que assisti, no primeiro momento ele fala: "Nossa missão é ser feliz". Depois, ele explica os passos para ser feliz. E quais são os passos para ser feliz?

Aumentar o amor, aumentar a felicidade, curar as nossas inferioridades e eliminar o vazio das nossas almas.

Uau! Agora sim faz sentido!

Gosto de pensar que, quando Deus nos colocou aqui na Terra, um pouco antes de nossa alma entrar no corpo físico, a saída do plano astral superior para a descida na barriga de nossa mãe é como um tobogã em um parque de diversão: uma vez que lá de cima te soltam, não tem mais como voltar. Então, eu imagino que Deus faz assim conosco, nos coloca num tobogã e diz assim: "Pode descer, filho, a sua missão é ser feliz". E depois nos solta. Quando você está descendo esse tobogã, que não tem mais como voltar, Ele grita lá de cima: "Mas, para ser feliz, você vai precisar curar umas coisinhas". E aí começamos a ter noção de que não dá para ser feliz com aquela raiva, aquela mágoa, tristeza, ansiedade, pessimismo e com as situações da nossa vida que são as que realmente manifestam a necessidade de mudança que nós temos.

SITUAÇÕES QUE AFLORAM NEGATIVIDADES

Então, vamos fazer o caminho contrário. A nossa missão é evoluir. E evoluir, como tudo indica, é aumentar o amor e a alegria. Mas, para aumentar o amor e a alegria, do que nós precisamos?

Curar as nossas inferioridades. É aí que começa a situação... Você acorda de manhã e diz: "Deus, por favor, cure as minhas inferioridades". Um por cento ou 0, 01% das pessoas fazem isso? Poucas pessoas, certamente. Entretanto, há um magnetismo na vida da Terra que proporciona que a pessoa que tem irritação guardada dentro dela entra em contato com situações que causam irritação.

Acontece também que as pessoas que têm medo, entrem em contato de forma magnética pela lei da atração com situações que geram medo. Portanto, todas as emoções, pensamentos e sentimentos que um ser humano tem guardam consigo um determinado magnetismo, uma frequência específica.

E, pela lei da atração magnética que diz que "Semelhante atrai semelhante", você atrairá para sua vida situações que farão com que aquela mágoa, aquele medo, aquela tristeza, aquela ansiedade, aquele remorso, aquela angústia, aquela depressão venham à tona. Então, pessoas com sentimento de depressão guardado, inoculadas, ou seja, está lá prontinho para germinar, entrarão em contato com situações que aproximarão esse sentimento de depressão.

Então, é muito comum - vi isso acontecer muito em consultório - as pessoas me falarem assim: "Olha, até os 60 anos da minha vida, tudo ia bem. Mas daí um parente desencarnou, outro parente morreu e a partir daquilo eu entrei em depressão profunda. A morte deste parente causou a depressão".

Não, não é verdade. A morte desse familiar aflorou, desabrochou a depressão que já existia dentro dela. Não é uma morte, um acontecimento que gera uma depressão deste nível.

Ela pode impactar a pessoa, pode dar um tranco, pode fazer a pessoa ficar ruim por algum tempo, mas o fato de a depressão se tornar um estado de espírito é devido à depressão que já existia. O sentimento de depressão existia nela como exatamente o motivo pelo qual ela nasceu, pelo qual ela existe: para curar essa depressão.

Ocorre que, se não tivesse tido esta morte, não tivesse acontecido esse desencarne do parente, a pessoa nunca entraria em sintonia com a emoção tão importante para mostrar o que ela viria curar. Então, é aí que começa a busca pela missão da nossa alma. Nós não acordamos todos os dias de manhã e dizemos assim: "Ai, Deus, cura para mim isso. Seres de luz, me iluminem para eliminar a raiva, para limpar a ansiedade, para curar o pessimismo" e tudo mais, não. Nós vamos vivendo a nossa vida completamente sem sintonia com o grande Espírito Criador, completamente interessados em sobreviver e conquistar as nossas coisas aqui na vida e então, entramos em contato com situações que nos trazem o entendimento de que emoções negativas são muito fortes em nós e precisam ser curadas.

OS SINAIS DO UNIVERSO

Por isso, vamos a alguns sinais que dizem que você está fora de alinhamento com a missão da sua alma.

Que sinais são esses?

Em primeiro lugar, o mais falado, o mais importante e o, provavelmente, presente em todas as pessoas: sentimento de vazio consciencial. "Ah, mas o que é vazio consciencial?"

É aquele sentimento de que falta alguma coisa, de que alguma coisa não está bem, um sentimento que mistura um pouco de tristeza, um pouco de angústia, um pouco de depressão, mas não é bem uma tristeza, e também não é uma angústia e não é depressão, são elementos de vazio.

E muitas vezes você sente o sentimento de vazio com um monte de gente ao seu lado, com um monte de coisas ao seu lado, com um monte de conquista material e não te falta nada, só que dentro te falta muito. Então, o sentimento de vazio - que quase 100% da população tem - é um forte indicativo de que você não está em alinhamento com a missão da sua alma, de que você não vive para fazer o que deve fazer, de que você não está em sintonia com você mesmo, de que você não vive a verdade. E isso será explicado mais tarde. Viver a verdade é o ponto. Conhecer a programação interior é o ponto, e é isso o que precisamos fazer.

Mas é provável que você comece nesse ponto a perceber que o caminho é longo, e que há muitas coisas para mudar. Mas aí vai algo que pode lhe ajudar muito: somente a partir do momento em que você começa a ter uma noção "Espera aí, eu preciso pensar na missão da minha alma. Opa, eu tenho que dar mais atenção para quem eu sou. Será que eu faço o que eu gosto? Será que eu vivo com a minha verdade? Será que eu estou realizando o meu propósito? E os meus papéis diante as situações da vida, eu estou desenvolvendo bem"? A partir deste estado de consciência é que você começa a trilhar a senda da sua missão.

Se você parar agora, não quiser continuar essa leitura e começar a prestar atenção na sua vida desse jeito, uma revolução já começa a acontecer. Porque um estado de consciência se apodera de você, e essa nova energia começa a mostrar novos caminhos, sinais, entendimentos diferentes que mostrarão a você que a vida é muito mais do que parece ser. Esse é o ponto.

PONTO DE AVALIAÇÃO

Reflita (apenas reflita) agora sobre três comportamentos, emoções ou sentimentos que você entende que precisam ser melhorados.

_____
_____
_____
_____

Reflita sobre três novos aprendizados que você teve até agora, na leitura desta parte do livro, mesmo que sejam muito simples.

_____
_____
_____
_____

Reflita sobre três coisas que você aprendeu sobre missão de vida especificamente.

_____
_____
_____
_____

O MELHOR COMEÇO É A MUDANÇA DE ÓTICA

O ponto principal é: você precisa olhar para a vida com o entendimento de que a sua existência, a sua encarnação, a sua estada aqui na Terra tem um propósito maior. E uma vez que você se concentra nesse propósito maior, tudo começa a fazer sentido. E não é que você nunca mais vai ter problemas ou nunca mais vai ter emoções negativas para curar. Pelo contrário, vai continuar percebendo cada vez mais esses problemas e as emoções negativas para transformar, entretanto, com outro nível de consciência e outro nível de percepção, o que fará uma imensa diferença na sua vida, porque você precisa entender que a sua existência tem um propósito.

O seu propósito é a evolução da consciência, o crescimento, a cura ou transformação das inferioridades, é eliminar o medo, a mágoa, a tristeza, a raiva e todos os sentimentos negativos. Só que você não se liga nisso e vai vivendo a sua experiência. Mas a lei da evolução constante não está nem aí se você decidiu aprender pelo amor ou pela dor. E ela vai aproximar de você situações, coisas, pessoas e acontecimentos que lhe lembrem daquilo que você veio fazer na Terra. E quais são essas situações?

Acontecimentos dramáticos, acidentes, até gravidez inesperada, assaltos, problemas com dinheiro, conflitos, muito vazio e muitos outros problemas que batem à sua porta dizendo: "Está errado. O caminho não é por aqui, o caminho não é por aqui".

Se você não tem essa consciência, o que pode acontecer?

Vitimizar-se.

E este é um grande problema. Você começa a passar pelos acontecimentos da vida, não entende os sinais que eles emitem e começa a se sentir a vítima do mundo, começa a se sentir um coitadinho, uma coitadinha. E aí tudo piora. Porque não existe a percepção de que aquele acontecimento é exatamente para você curar ou transformar o seu estado de vitimização.

Então, entenda: as flechas dos anjos estão presentes! É o nome que nós usamos para lembrar que todas as vezes que você se esquece do que está fazendo aqui na Terra, Deus lhe lembra. Deus não é punitivo, não é um homem barbudo que diz: "Vamos castigar aquele", Deus é energia que promove a evolução constante, é uma lei natural e essa Energia quer que você evolua, quer que você siga em um caminho de crescimento. Se você se esquecer, as flechas dos anjos lembram. E olha que interessante, o primeiro passo da flecha do anjo é um sentimento de vazio, uma tristeza, uma chateação.

Não entende? Vai virando uma "doencinha", um monte de acontecimentos na sua vida.

Não entende?

Vai ficando cada vez mais intenso. Até que, quando você não para e faz a mudança, as flechas dos anjos o param. E é por isso que passei por um acidente, porque não entendi os sinais que vieram antes. E hoje olhando para trás, percebo que foram muitos os sinais.

O que nós precisamos fazer? Olhar para nossa vida, quando os sinais acontecerem e dizer: "Opa, eu não tinha entendido. Para tudo. Atuar, fazer mudanças e olhar para dentro para que esses sinais não fiquem mais intensos".

Deus não castiga. Ele é uma energia, um fluxo que pede para você ir no mesmo sentido. Se você não vai no mesmo sentido, você fica em dissonância e é por isso que as coisas vão mal, vão errado, acontecem de um jeito que você não gosta. É a mesma coisa que nadar contra a correnteza de um forte rio. Não tem como, não dá. Você se cansa, as coisas não vão bem.

PONTO DE AVALIAÇÃO

Três coisas que aprendi sobre os problemas repentinos que ocorrem na vida são...
___
___
___
___

Uma pessoa só se deixa sentir-se vítima dos problemas da vida porque...
___
___
___
___

Três coisas que aprendi para não me deixar vitimizar com os problemas da vida são...
___
___
___
___

Eu tenho uma específica qualidade de personalidade muito boa (pode ser algo como coragem, persistência, paciência, fé, amor, perdão, criatividade, organização, etc.) e descobri que preciso utilizá-la com mais confiança. Essa qualidade específica é...
___
___
___
___

A BUSCA CONSTANTE PELO ALINHAMENTO

Encontrar e realizar a missão da sua alma é ser um trem e querer viver nos trilhos. É ser uma cafeteira e usar apenas pó de café e água. É ser uma máquina de lavar roupas e usar apenas água e sabão em pó. Imagina se nós invertermos, pegando a máquina de lavar roupas e colocando café ou a máquina de café e colocando sabão em pó? Teríamos problemas, não é mesmo?

Quantos de nós estamos assim? Quantos de nós somos trens fora dos trilhos? Se você nasceu para viver num trilho, só vai ser feliz se estiver nesse caminho.

E as flechas dos anjos, assim como os sofrimentos, crises e acontecimentos, são indicativos de que você não é quem nasceu para ser, que você não está cumprindo aquilo que deveria cumprir, que você não está olhando para o seu propósito interior, para a verdade da sua alma, que você não está prestando nenhum pouquinho de atenção ao que você veio fazer aqui, às emoções que você sente e à verdade que Jesus dizia: "Conhecereis a verdade e ela vos libertará". Podemos interpretar assim: "Conheça a missão da sua alma e realize-a, que você terá um caminho de liberdade, tranquilidade e fluidez". Porque, se você não estiver no caminho da realização da missão da sua alma, Deus, ou o mecanismo cósmico da evolução constante, lhe lembrará o tempo inteiro através das flechas dos anjos e aí fará com que a sua vida não seja boa.

Então, você precisa, em primeiro lugar, focar nas suas emoções negativas para que elas sejam curadas. E você só compreenderá isso olhando atentamente para pessoas, coisas, situações que desenvolvem o sentimento, que desenvolvem a emoção ruim.

Está brigando com o seu marido? Esqueça-o e pergunte-se: "Que emoção eu sinto?".

Está brigando com seu filho, com seu pai?

Esqueça a pessoa, não coloque a culpa em alguém e pare para pensar: "Que emoção é essa?".

Não está feliz no trabalho? Pare para pensar: "Que sentimento é esse que eu estou sentindo?".

Não está feliz? Pare e pense: "Que sentimento?". Module, identifique, quantifique exatamente que sentimento é esse em cada situação conflitante da sua vida agora. E aí preste atenção se essa emoção que aflora na relação com o marido, com os filhos ou com os pais, se esse sentimento que aflora em relação a você, ao seu corpo ou a qualquer área da sua vida, perceba se ele já aconteceu em outros momentos com pessoas ou em cenários diferentes.

E é provável que você se impressione porque vai perceber que a emoção é sempre a mesma, as pessoas e situações é que mudam. E aí chegamos a uma conclusão que à primeira vista dói. Infelizmente, a verdade, às vezes, machuca, mas depois faz bem: nunca são os outros, sempre somos nós.

Então, não é o seu marido que é o culpado pela emoção que você tem, ele pode até ter atitudes erradas. Não é sua esposa que é culpada pela emoção que você tem, ela também pode ter atitudes ruins. Mas tanto ele quanto ela afloraram uma emoção negativa que você já tinha: tendência a ser controlador, tendência a se vitimizar, não saber dar limites, seja a emoção, seja sentimento que for é uma inferioridade da sua personalidade que precisa ser curada. E você só está vivendo essa relação com seu marido, esposa, chefe, funcionário, ou seja, com quem for, exatamente pela necessidade que tem de lembrar a emoção que está inoculada e precisa aparecer para ser curada.

Quando a emoção aparece por razão da situação que você está vivendo, há uma necessidade de colocar a culpa em alguém: "Ah, a culpa, a mágoa que eu estou sentindo é dele, é culpa dela a tristeza que eu estou sentindo" e não é culpa de ninguém. É culpa - se tiver que colocar culpa - da sua personalidade inferior, que você trouxe até a Terra, justamente para curá-la.

E aí vamos lembrar a gravidade de situações que acontecem na nossa vida para sufocar o sentimento de vazio e os conflitos existenciais.

A primeira situação grave: remédios, antidepressivos ou ansiolíticos. Não sou 100% contra eles. Só tenho uma opinião favorável a esse respeito quando a pessoa está querendo colocar em risco a própria vida ou a vida de outras pessoas. Nesses casos, acredito que a pessoa precisa ser dopada, contida se preciso for.

Mas pessoas com um nível mínimo de consciência não deveriam tomar remédio antidepressivo, remédio ansiolítico. Por quê?

Simplesmente, pelo fato de que a causa da depressão e da ansiedade não está no corpo físico, e o remédio alopático trata o corpo físico. A causa está na alma. E, em segundo lugar, porque, quando a emoção "depressão" ou quando a emoção "ansiedade" afloram, é um sinal do seu espírito para aquilo que você precisa curar. Se você toma um remédio, você não está curando a causa, você está curando só o efeito, e o efeito não proporciona cura.

Então, este é o ponto principal. Agora tem uma coisa que quase ninguém fala quando recomendam remédio antidepressivo: é que eles geram de 200 a 2.000 contraindicações catalogadas, os ansiolíticos da mesma forma. Então, eles mudam completamente a química do seu corpo e, o pior, não atuam na causa.

A causa é saber quem você é. Saber do que você gosta. Viver o seu propósito. Entender os seus papéis. Focar na sua missão. Entender que há uma força maior, há um sentimento maior que guia os seus passos e que você pode ter contato com isso. Aprender a olhar para dentro, a não projetar no outro aquilo que você precisa construir.

Quando reclama da sua esposa, do seu filho, do seu funcionário ou seja lá de quem for a reclamação, você não está reclamando dele, mas você está reclamando da emoção que essa pessoa provoca em você. E a emoção que ela provoca em você é de responsabilidade sua.

E por magnetismo, quando você curar o que o outro provoca, não atrairá mais pessoas para provocar o medo, a tristeza, a raiva, a ansiedade. Por quê?

O que provoca o medo, a tristeza, a raiva, a ansiedade não é o seu "inimigo", mas o que você tem dentro. E o que você tem dentro forma um ponto de energia que atrai essas coisas ruins. Quando você começa a focar na sua evolução espiritual, na evolução da sua consciência e realmente sanar o vazio da sua alma do jeito certo, você para de atrair situações ruins. Esse é o ponto. Quando você está vivendo em alinhamento com a sua missão, as coisas boas acontecem por consequência, as coisas ruins são repelidas. Portanto, foco na sua missão.

Faça o trabalho que você fizer olhando para dentro, tenha as relações que você tem olhando para dentro, pense a sua vida do jeito que você quiser, olhando para dentro e questionando: "Qual é a missão da minha alma? Eu estou evoluindo nas minhas emoções? Eu estou realizando uma missão legal?", esse que é o ponto.

Tem uma questão que, certamente, figura entre uma das mais importantes quando o assunto é viver bem, encontrar e realizar a missão da sua alma: é saber viver os seus papéis em cada situação da vida. Resumidamente, se você é um bombeiro, não tente ser um médico. Se você é um médico, não tente ser um engenheiro. Vamos explicar isso na prática.

Como é que funciona?

Você é o pai da família? Então seja pai dos seus filhos, e seja o filho dos seus pais, nunca inverta posições na forma de se comportar. Se você nasceu filho daquela pessoa, comporte-se como um bom filho dela. Se você nasceu pai daquele indivíduo, comporte-se como um bom pai dele.

Não dá para, nos comportamentos e nas atitudes, mudarmos esse ajuste automático que as coisas têm. Os papéis se ajustam devido a uma lei natural que rege tudo.

Lembro-me de um caso de uma pessoa que queria muito um relacionamento sério. Era uma moça na casa dos 20 anos que não conseguia se estabelecer. E o que aconteceu? Com algumas sessões de terapia, nós descobrimos que ela tinha o costume de dormir numa cama de casal, com a sua mãe. A mãe era separada e ela, como não tinha namorado, decidiu dormir com a mãe. As duas se sentiam muito sozinhas, então, combinaram de à noite dormir junto numa cama de casal. Parece uma atitude inofensiva, não é? Entretanto, essa pequena e, aparentemente, inofensiva atitude mexeu completamente no campo de energia daquela pessoa e é obvio que ela não conseguiria arrumar alguém, porque no campo de energia dela existia uma pessoa, que era a mãe. E essa prática, a simples atitude de dormir com a mãe numa cama de casal estava atrapalhando o campo de energia dela. Ela percebeu isso, mudou mais algumas outras pequenas coisas e, não demorou dois ou três meses, essa moça encontrou um relacionamento, no qual ela achava que valeria a pena investir.

Eu só falo isso para você entender que muitas questões familiares estão com problema, porque as pessoas ficam dizendo umas para as outras o que as outras devem fazer. E muitos também não sabem perceber qual é o momento de dar limite nos palpites que os outros dão. Qual é o momento de dizer: "Ei, não mexe aqui na minha vida, que daqui cuido eu", e qual o momento de aceitar uma opinião alheia?

Então, é muito importante entender e respeitar cada um dos papéis. E isso se prolonga por todas as áreas da nossa vida. Se você é o chefe, seja o chefe, faça o papel de chefe. Se você é o subordinado, seja o subordinado, faça papel de subordinado. Se você é o colega, é o papel do colega que tem que fazer. Cada um tem uma função, cada um tem uma atividade.

E todo mundo pode transitar em atividades diferentes, mas precisa conquistar, precisa merecer. Se você se mete na área do outro, de um ponto de vista energético, você desequilibra tudo. Porque, se você começa a julgar o que o outro deveria fazer sem que o outro queira saber da sua opinião, você troca energia de forma negativa com aquela pessoa. E aí dá início a trocas perniciosas de energia, como um processo de obsessão. Portanto, quando Jesus dizia para nós não julgarmos, ele sabia o que estava falando, porque no julgamento nós trocamos energias.

É isto que nós precisamos entender: quando eu olho para um vizinho, quando eu olho para um irmão, para um chefe, para um colega de trabalho, um funcionário, um subordinado, seja a área que for, um filho, um irmão, um primo e digo: "Olha, ele deveria estar fazendo isso" e ele não quer saber a sua opinião, nesse momento, você está emitindo uma vibração contrária a que a pessoa está vivendo. E desse jeito você está atrapalhando a energia do outro e está sendo atrapalhado como consequência, o que é muito, mas muito grave.

Portanto, quando dizemos para o outro o que queremos ou achamos o que ele deve fazer, mas o outro não concorda e está contrariando isso ou não está aberto a isso, você está prejudicando a sua energia, e ela fica somatizada no seu campo de vida, no seu campo de energia e afeta seu equilíbrio. Além disso, mesmo que a pessoa peça a sua ajuda, é necessário muita sabedoria para entender qual é o jeito certo de ajudar.

Sempre, em todos os casos, ajuda significa "ajudar o outro a se ajudar", em outras palavras, não dar o peixe, mas ensinar a pescar. Toda ajuda que você fizer, que você oferecer dando o peixe e não ensinando a pescar, você receberá uma afetação no seu campo de energia. Simplesmente por quê? Porque, quando eu tiro da pessoa um aprendizado que ela teria por conta própria, eu evito que uma lei natural aja sobre ela, o que a traria para o seu eixo de missão de alma. E a pessoa, simplesmente, teve uma ajuda externa, mas não mudou a consciência, não mudou o coração, e esse processo, essa energia de mudança que era necessário sobre a pessoa, vem para você. E você acaba experimentando o sofrimento porque você assimila um sofrimento que não era seu.

As energias são como contas, que alguém pode pagar a sua. Entretanto, a conta existe. Se alguém pagou a conta, tudo bem, mas a conta precisa existir. E nesse contexto, a conta é o aprendizado que alguém precisa ter. Você não pode tirar da pessoa a flecha do anjo. Você não pode tirar da pessoa o aprendizado que ela teria, você pode ajudar no aprendizado dela, aconselhando-a: "Olha, pense nisso. Quem sabe se você ouvir seu coração, tiver mais calma ou esperar um pouco mais..."

É, esses conselhos são sempre bons. Contudo, dizer para a pessoa o que ela deve ou não deve fazer, de forma direta, é muito prejudicial porque afeta os limites da energia e isso faz com que você não viva o seu papel.

Aprenda a viver o seu papel. Aprenda a olhar cada situação e dizer: "Eu estou ajudando? Estou atrapalhando? Devo ajudar? A pessoa pediu a minha ajuda? Não pediu? Se eu sou pai, estou sendo mesmo pai? Se eu sou mãe, estou sendo mãe? Se a minha função é essa, estou realmente fazendo essa função?". Porque, quando foge do seu papel, você desequilibra tudo e não vive a essência e, por consequência, atrai sofrimento porque não está alinhado com o que realmente é.

E, quando você interfere na vida do outro, afeta a direção das flechas dos anjos que a pessoa teria. Uma boa forma de ajudar é sempre conduzir qualquer conselho de forma que a pessoa entenda o aprendizado que ela deve ter em cada situação. Nunca, jamais dar o peixe, sempre ensinar a pescar. Esse assunto é complicado não só na hora de nós interferirmos através de julgamentos, de opiniões, de "pitacos" como falamos de forma coloquial, dizendo: "Ah, você devia fazer isso, devia fazer aquilo".

Mas é complicado também quando os outros querem dar opiniões na nossa vida, dizer o que nós devemos fazer, porque precisamos encontrar o jeito certo de dizer para a pessoa: "Olha, cuida aí da sua vida, da minha cuido eu". De uma forma amorosa, equilibrada, dando limites e entendendo "Isso é meu, e isso é seu". Quando começamos a prestar atenção nisso, nós vemos que trocamos energia o tempo inteiro com coisas tolas que não precisávamos trocar. Em outras palavras, nos desgastamos sem motivo, simplesmente porque estamos destreinados ou porque estamos levados por muitas emoções negativas ao dizer o que uma pessoa deve ou não deve fazer.

Essas emoções negativas nos manipulam o tempo inteiro. É preciso entendimento e muita atenção a elas. E isso tudo acontece, essa questão de querermos opinar na vida do outro, de nos incomodarmos com o que ocorre, por quê? Porque a emoção está em nós. Quando eu vejo alguém fazendo uma coisa que julgo errado, esse julgamento só se estabeleceu porque olhei para determinada situação e senti uma emoção. Então, vejo alguém criando seu filho, e acho que aquele não é o jeito certo de criar. Por que acho isso?

Porque vi aquele amigo, aquele parente, aquele vizinho cuidando do seu filho e senti uma emoção em relação àquilo e já julguei: "Ah, se fosse meu filho, eu não cuidaria assim".

Eu vejo alguém tocando uma empresa, um negócio, os estudos, um relacionamento de um jeito, e olho aquilo, normalmente sinto uma emoção e já disparo um julgamento: "Ah, se fosse comigo, eu faria de outro jeito". Então, você percebe que as situações externas disparam o que em nós? Uma emoção. E aí os palpites, as opiniões, as dicas, os conselhos, normalmente, na nossa vida surgem como consequência, como resposta da emoção que sentimos em cada caso.

Então, se vi alguém fazendo uma coisa da qual não gosto, eu só não gosto porque sinto alguma coisa em relação àquilo. E, na tentativa de não sentir o mal-estar que eu senti, dou uma opinião, digo: "Olha, não faz isso, porque isso é ruim". Mas é ruim para quem? Para mim. Eu sinto que é ruim. E aí como sinto que aquilo é ruim, o que eu costumo fazer? Manipular os resultados das coisas que as pessoas fazem! Isso tudo sem perceber!

Não se sinta mal por isso, porque você faz sem perceber. Quantas vezes você já manipulou e deu opiniões e conselhos para que a pessoa vá para essa ou aquela direção, porque se ela vai para outra direção você não gosta e se sente mal?

E aí eu lhe pergunto: isso é um bom conselho ou é um aconselhamento contaminado pelo seu ego e pelas suas emoções negativas? Certamente, está contaminado pelas emoções negativas.

Quer ver um exemplo que eu sempre conto nos livros, nos cursos? Lembro-me de uma cidade para onde viajávamos para dar curso e ficávamos lá até quase meia noite, ou uma hora da manhã. E a nossa residência era a 200/300 quilômetros daquela cidade e demoraria então, quase três horas de viagem. Mas eu à noite gosto de dirigir, à noite me sinto bem, minha mente clareia e fico superbem. Entretanto, tinha uma senhora que sempre ia às nossas palestras e ela ficava muito preocupada com aquilo. Ela falava: "Bruno, por favor, não viaja a essa hora, essa hora é muito perigosa. Vai de dia, de dia é melhor. À noite é ruim, à noite é perigoso".

E na minha visão, no meu sentimento, viajar à noite é melhor, pois me sinto mais acordado à noite, sou uma pessoa que funciona melhor à noite. À noite tem menos carros, a estrada é mais tranquila e várias outras situações que me levam a crer que viajar à noite é melhor.

A crença dessa senhora é a de que viajar de dia é melhor. Só que, conversando, eu descobri que ela perdeu um parente que desencarnou em um acidente de automóvel enquanto dirigia por uma estrada à noite.

A raiz do problema era clara. Quando ela vinha me aconselhar, queria de fato evitar que o mesmo acidente que havia ocorrido com o seu parente não acontecesse comigo. Em outras palavras, ela depositava todo o seu medo em mim. Não era necessariamente um problema real na minha visão, mas para ela, tratava-se de um alerta baseado em suas crenças forjadas em situações negativas.

Por que ela dava o conselho? Porque toda vez que eu falava para ela que ia viajar à noite, ela sofria. Ela dizia: "Não, você não pode viajar à noite. Viajar à noite é ruim, um tio meu já morreu assim". Ela sofria. Então, ela dizia: "Viaja de dia". Se eu viajasse de dia, ela diria assim: "Ai, que bom!".

Então, o conselho dela foi baseado numa coisa superior, numa energia profunda ou foi baseado no egoísmo? O conselho dela teve um objetivo, mesmo que ela não percebesse: aliviar o medo que ela sentia que acontecesse comigo o que tinha acontecido com o parente dela. Entendeu? Esse é o ponto. Sempre que você dá um conselho, há uma tendência muito grande de que você tente, através desse conselho, aliviar um sentimento interno. E isso é uma grande cilada. E este é o ponto: aprender a tomar decisões baseadas no Eu Superior.

Encontrar e realizar a missão da sua alma é olhar cada situação da vida e jogar para dentro, para a alma e dizer: "Isso é bom ou não é? Isso me faz feliz ou não faz?" e decidir. Encontrar e realizar a missão da sua alma é ficar o tempo inteiro em contato com aquilo que se estabelece em harmonia para o seu coração, para o seu sentimento. Porque a mente não tem sentimento, mas o coração tem consciência.

Usar a percepção do coração é aplicar todo o universo de sabedoria do seu ser para determinada situação. Acima de tudo é importante que você comece a olhar para a sua vida e a questionar-se:

"Estou feliz no meu relacionamento? O que posso fazer?

Estou feliz no meu trabalho? É o trabalho de que eu gosto? O que eu posso fazer?

Estou feliz com a minha vida? O que eu posso fazer?

Eu estou vivendo a verdade da minha alma? O que eu posso fazer?

Eu sinto aquele vazio chato? O que eu posso fazer"?

Porque, se você não tratar esse vazio, você terá tendências a vícios dos mais diversos tipos: comida, sexo, drogas, cigarro, e tudo o que é nocivo, na tentativa de preencher o seu vazio.

Quando o vazio vem, ele é implacável, e pede uma alimentação, que, se não for a correta, ou seja, a alimentação da sua alma, da busca constante, você vai procurar outras fontes, como jogos em excesso, por exemplo. Tudo o que for excessivo, tudo que não faz bem, é vício. E, na tentativa de preencher o seu vazio, você vai utilizar aquilo que escolheu como vício para preencher de fora para dentro, enquanto o caminho é preencher de dentro para fora. E eu não falo só em vício de drogas, mas também em vício de relacionamento, quando você sente carência e cola numa pessoa que, aparentemente, lhe preenche. Mas ela não trata a causa da sua carência, portanto, se ela for embora, você vai sofrer. Então, o que você faz? Cola nessa pessoa, vira um obsessor dela para não deixar que ela vá embora e que você sinta carência.

Portanto, um dos melhores caminhos para sermos felizes de verdade é preencher essa carência na essência. E para isso você precisa entender o que veio fazer aqui na Terra, fazer o trabalho que ama, descobrir os seus papéis na sua família e entender quais são as emoções negativas que você veio curar. Porque uma vez que você der atenção a isso, definitivamente, estará vivendo o caminho da missão da sua alma. E o que é bom: não importa sua profissão, não importa a cidade em que você mora, se você estiver focado em curar o que é negativo, as coisas virão a você e, por uma questão automática, e de forma natural, você terá a profissão que sonha, terá o relacionamento que sonha, terá a vida material que sonha, porque tudo estará nos eixos. O foco é "ser para ter". E nunca "ter para ser", porque esse é o caminho do vazio interior.

Preencha o seu coração com o que você é em essência, tratando a verdadeira causa e compreendendo que as coisas ruins que chegam são uma resposta do Universo para mostrar que você precisa se curar, dar atenção à sua alma, sair do piloto automático, porque, se não sair, se não der atenção pelo amor, vai precisar em algum momento, em algum instante dar atenção pela dor. E o Universo é natural, uma engrenagem perfeita: ou você aprende pelo amor ou você aprende pela dor. Não tem outra saída.

Nós precisamos, devemos nos concentrar nesta saída pelo amor, pois isso faz mais sentido. E tem uma coisa muito importante: Deus não escolhe se você deve evoluir por uma ou por outra religião, por um ou por outro jeito. Ele dá total liberdade de evoluir do jeito que você quiser, desde que aumente o seu sentimento de amor e cure as suas inferioridades. « Na casa de meu pai há muitas moradas» Você pode encontrar o seu crescimento de diversas formas, pelas artes, pela ciência, pela religião, pela espiritualidade, pelo esporte. Seja através do caminho que for, você precisa curar o que é ruim na sua personalidade.

É muito importante amar o seu próximo como a você mesmo, entender as relações no processo, entender que a culpa nunca é do outro, que o outro aflora a emoção em você, mas não é responsável pela sua emoção. Uma vez que consiga entender isso, você escolhe o caminho, a cidade ou o trabalho que quiser, desde que se sinta bem com isso. E aí, sim, você viverá a verdade da sua alma. E uma vez que isso acontecer, você se libertará, viverá feliz, pleno, cheio de coisas boas. É isso que eu lhe desejo.

TRANSFORMAÇÃO AGORA!

FAÇA UMA LISTA DE TRÊS EMOÇÕES NEGATIVAS QUE VOCÊ ENTENDE QUE PRECISAM MELHORAR.

Para isso, feche os olhos, respire profundamente e relaxe. Então pergunte-se: o que está ruim dentro de mim? É a raiva? É o medo? A tristeza? A ansiedade? A falta de paciência? O estresse? O sentimento de injustiça? O sentimento de abandono? O sentimento de que o mundo se virou contra mim? A mágoa? A agressividade? A mania de colocar culpa nos outros? A timidez? O orgulho? O isolamento? A falta de ânimo?

_____
_____
_____

Escolha 3 negatividades específicas que você entende que estão realmente lhe atrapalhando. Agora compare com críticas e comentários negativos que as pessoas já fizeram sobre você ao longo da sua vida. Por exemplo: se você entendeu por conta própria que a emoção negativa é a raiva, a agressividade e a falta de paciência, mas que também já foi criticado por outras pessoas por conta dessas mesmas negatividades, pode ter certeza de que você escolheu bem.

_____
_____
_____
_____

A escolha das três emoções negativas que tiverem relação com críticas que você já recebeu, mostrará que essas emoções são realmente oportunidades de melhoria na sua vida.

_____
_____
_____
_____

Anote em um papel essas três emoções negativas que você escolheu.

_____
_____
_____
_____

Agora o seu trabalho é prestar atenção a tudo que acontece na sua vida que envolva emoções negativas. Se você teve um conflito no trabalho, na família, se está com um problema interno, preste atenção exatamente para compreender com exatidão quais são os sentimentos que estão aflorando em cada situação. Pare alguns segundos e faça a leitura da situação, mesmo que você continue se sentindo mal e com as emoções negativas à flor da pele. Você precisa parar e raciocinar, dizendo para si mesmo qual é a emoção que está sentindo.

Exemplo: A sua mãe ou o seu filho criticam um comportamento seu. Imediatamente você se chateia. Alguns brigam e gritam, outros se fecham e se calam, outros vão embora do lugar. Cada um tem um comportamento específico. Mas independentemente disso, qual é a emoção predominante que você sente? Você sente vergonha? Você se sente injustiçado? Com medo?

Descubra exatamente qual emoção aflora em cada situação de conflito, pois acredite, você ainda não está treinado para isso, mas, quando se acostumar a perceber quais são as emoções negativas que o governam, você certamente estará se curando, somente por tomar consciência delas.

_____
_____
_____
_____

Resumo da Tarefa Missão 1

∷ *Descobrir três negatividades específicas.*

∷ *Avaliar as negatividades exatas que são afloradas nos momentos de conflito da sua vida.*

Mantra (Afirmação positiva)

Eu evoluo sempre que me torno claramente consciente das minhas emoções, pensamentos e sentimentos.

DICA PARA A MISSÃO 2

∴ *Nesta etapa, você continuará as mesmas práticas citadas acima. Em outras palavras, você continuará com a sua anotação das três negatividades principais e também continuará fazendo o exercício de ter consciência exata da emoção que sente em cada momento.*

∴ *Agora, o que você vai fazer é prestar atenção aos sentimentos negativos que afloram em você sempre que tem contatos especificamente com outras pessoas.*

∴ *Quando tem conflitos com o seu chefe, quais emoções negativas ele aflora em você?*

∴ *Quando tem conflitos com o seu funcionário, quais emoções negativas ele aflora em você?*

∴ *Quando tem conflitos com o seu pai/ filho/ mãe/ filha/ irmã/ irmão, quais emoções negativas eles afloram em você?*

∴ *Quando se relaciona com qualquer outra pessoa e tem conflitos, quais emoções negativas se afloram em você?*

Agora o seu trabalho é o de mapeamento, certo?

Você precisa fazer bem feita a sua parte, porque o sucesso desta tarefa representará uma mudança extraordinária na sua vida.

∴ *Anote em um diário de bordo, seja eletrônico (smartphone, tablet ou computador) seja em papel mesmo, as emoções específicas que surgem cada vez que você encontra uma determinada pessoa. Exemplo: toda vez que converso com a minha mãe, sinto-me rejeitado, inferior ou abandonado. Toda vez que converso com o meu chefe, sinto-me incapaz.*

- *Anote as emoções genéricas.*

São aquelas que afloram em qualquer pessoa. Ou seja, não importa quem seja, você sempre sente.

Resumo da Tarefa Missão 2

- *Entenda as emoções negativas específicas que afloram nas principais pessoas ao seu redor e anote.*
- *Entenda e anote as emoções genéricas que surgem com qualquer pessoa.*

Mantra (Afirmação positiva)

As pessoas ao meu redor são instrumentos que mostram o que eu ainda preciso aprender. Meu estado de espírito se ilumina quando entendo que o outro não é culpado pelo que sinto.

CRUZAMENTO DAS DUAS TAREFAS

Neste momento, reúna todas as anotações que você fez até agora, sobre as suas três principais negatividades, sobre aquelas que afloram de pessoas específicas e sobre aquelas que afloram genericamente.

Parte 1 do Exercício - Exemplo:

Três Negatividades:

Exemplo: Irritação, intolerância e ansiedade (não saber esperar).

As pessoas reclamam que eu sou muito bravo e "pavio curto" o que está diretamente relacionado com as três emoções negativas citadas acima.

Emoções específicas com pessoas específicas

Chefe = Sinto-me injustiçado (só sinto isso com ele)

Namorado / Marido = Sinto-me inferior, autoestima e confiança ficam muito fracas.

Emoções genéricas = tenho medo de que as pessoas me passem para trás. Estou sempre desconfiado, estou sempre na defensiva. Sinto-me excluído, enganado, inferior, incompetente. Acho que sou "menos do que as outras pessoas".

Neste momento, alinhe todas as emoções negativas que surgiram até agora independentemente de relação com pessoas específicas:

- **Irritação;**
- **Intolerância;**
- **Ansiedade (não saber esperar).**

Resumo

∴ *Pontue as 3 emoções negativas mais significativas para você, ou seja, aquelas que você acha que causam impactos mais fortes e que estão atrapalhando mais. Escolha apenas 3 e descarte as demais.*

∴ *O foco nas 3 principais emoções negativas afetará positivamente a cura das demais. Confie, o processo funciona.*

∴ *Agora, a sua tarefa até este ponto é apenas se conhecer melhor e ter a leitura emocional exata de cada conflito que acontece com você.*

∴ *Sempre se pergunte em cada situação conflitante: O que eu estou sentindo exatamente? Que emoção é essa?*

∴ *Você perceberá que a maioria de todos os conflitos revelará emoções muito similares às 3 principais que você escolheu, e isso já começará a transformar a sua vida.*

∴ *Você perceberá algo transformador: não importa o lugar, a situação ou as pessoas, as emoções que o governam são sempre as mesmas.*

Notas importantes:

1- Ao longo dos dias, você vai refinar as suas percepções e isso pode fazer com que você queira alterar a lista das emoções, entendendo que são diferentes daquelas que você anotou inicialmente. Não há problema e é até normal, o importante é que, depois de alguns dias, você tenha certeza de quais são essas emoções.

2 - Com o passar dos anos, você treina tanto a sua mente para a descoberta das emoções governantes, que o processo torna-se normal. Por isso, à medida que você começa a dissolver emoções negativas, refaça o exercício sempre que você quiser para detectar novos desafios, e desta forma, você treinará a sua consciência para detectar o que precisa ser curado a cada novo passo e a cada novo desafio que surgir.

Mantra (Afirmações positivas)

As pessoas não causam as emoções negativas em minha alma, elas apenas afloram algo que já existia. Quando eu compreendo que cada ser é apenas um gatilho para disparar as falhas que ainda tenho que corrigir, eu entendo que a pessoa é uma bênção na minha vida, motivo de gratidão a consideração.

DICA SOBRE A MISSÃO 3

A missão de Gerar Bons Exemplos aflorará naturalmente na sua vida à medida que você se concentrar nessa transformação. Trata-se de um processo natural que surge por consequência da sua mudança interior. Quando você muda, as pessoas ao seu redor se transformam e você torna-se um ótimo exemplo.

Capítulo 2

A missão específica relacionada a seu trabalho e atividade principal

SAIBA COMO VIVER, TRABALHAR, SER FELIZ E REALIZAR A MISSÃO NO MUNDO ATUAL

Atualmente, todos anseiam por liberdade.

Nós precisamos de liberdade. E a moeda da vez é a liberdade.

O que nós estamos procurando hoje em dia não é mais tanto o dinheiro nem o negócio próprio nem uma casa própria.

Sabe qual é um dos maiores sonhos do brasileiro hoje, que mudou radicalmente nos últimos anos?

Viajar e conhecer o Brasil. Isso já mostra o sonho de liberdade que o ser humano tem. Sabe por quê?

Quantos de nós aqui batalhamos por uma casa, por um dinheiro, por uma renda melhor, mas quando, tudo isso vem, nós continuamos escravos?

Então, nós precisamos de liberdade porque quase todo mundo conquistou o que queria, mas não mudou nada. Então, a moeda da vez é liberdade. O tempo livre é liberdade. E existe um jeito certo de você ser feliz e sentir-se livre. E o sentimento de liberdade é algo que é da alma humana. Tanto que Patrícia Cândido já citou no seu livro *Ecologia da Alma** a importância de, quando nascermos, nós voltarmos a este cárcere privado, que é a Terra, esse sistema carcerário de alta performance. Então, aqui na Terra nós não temos liberdade. E nós precisamos nos livrar disso.

Eu me lembro de uma ocasião em que fiquei uma semana na Bahia com a minha esposa em férias. Apenas no terceiro dia de descanso foi que eu consegui me livrar dos meus pensamentos frenéticos, todos voltados à correria da rotina. Eu estava em férias, mas a minha mente não parava de trabalhar, certo?

E não era trabalhar com o que eu amo, não. Era de se preocupar mesmo. E você, certamente, ficará em desequilíbrio se não viver a sua verdade.

Vou explicar a seguir que nós temos um sistema de energia conhecido como os chacras, ou meridianos, ou nadis, um campo de energia que flui em cada um de nós. E é interessante que bem na região do coração, que está associado ao amor, ao sentimento mais pleno que nós podemos ter, está o fluxo de energia que quando em equilíbrio flui na cor verde. O verde é associado ao amor. Então, o verde e a verdade têm raiz na mesma força.

O que eu quero dizer é o seguinte: quando você não vive a sua verdade, você não é o que nasceu para ser. Por exemplo, você

---

* CÂNDIDO, PATRÍCIA. Ecologia da Alma - A Jornada do espírito e a experiência humana. Nova Petrópolis/RS: Luz da Serra Editora, 2011.

é um artista plástico e trabalha num escritório, você é um cara racional que adora números e trabalha como artista plástico...

E uma das informações mais valiosas que você vai encontrar neste material é que o corpo físico aguenta dois anos fazendo o que não gosta. Essa informação não é inventada...

Você energeticamente nasceu, e Deus lhe dá uma licença de dois anos fazendo o que você não gosta e depois disso a energia degenera. O seu corpo começa a lhe tirar energia, mais tarde ele começa a lhe tirar ânimo, força, criatividade e mais tarde ele se transforma em doença. Portanto, quase 100% das pessoas que estão nas filas dos hospitais estão completamente fora da missão de suas almas. Tenho certeza de que, atualmente, grande parte da população economicamente ativa tem algum tipo de cobertura de plano de saúde, não é? E já falei muitas vezes que as operadoras de planos de saúde são empresas que garantem que, quando ficamos doentes, seremos bem tratados. O fato é que eles não garantem que teremos saúde. O que lhe garante saúde é viver a missão de sua alma. Porque, quando você está em alinhamento com quem você é, as coisas boas acontecem e você tem disciplina.

Quantas pessoas reclamam que não têm disciplina! Não é que não possuam disciplina, apenas não são suficientemente apaixonadas pelo que fazem. Antes de ir para a universidade, eu não tinha disciplina para ler. Somente depois que me transformei em um escritor espiritualista é que consigo ler sete, oito, dez livros por mês. Hoje tenho o hobby de ler porque encontrei assuntos que me atraem, pelos quais sou apaixonado.

Então, preste muita atenção se você não ama o que faz, ou se você não trabalha 70% do seu tempo apaixonado pelo que faz. Claro que existe um percentual de coisas que fazemos por obrigação: levar o lixo, pagar contas, resolver burocracias, etc. Muitas vezes, fazemos essas coisas por obrigação, mas 70% do seu tempo de trabalho precisa ser ocupado com o que faz seu coração vibrar, com o que é apaixonante para você. O seu corpo não nasceu para viver da mentira e precisa ficar alinhado com a verdade do seu coração na maior parte do tempo.

Nós temos um sistema energético, de um campo extrafísico também chamado de aura. E na região do centro do peito, quando você começa a viver de mentiras (e não são só as mentiras que nós contamos aos outros, são também as pequenas mentiras que nós contamos para nós mesmos), começa a acontecer uma formação desequilibrada de forças sutis.

Por exemplo, se alguém me diz: "Bruno, eu posso ir aí na sua casa agora? Eu gostaria de tomar um chimarrão com você!". Então eu digo que não dá, pois dou a desculpa que estou com visita em casa, o que não é verdade! E eu faço isso porque não consigo dizer a verdade que é o fato de que não estou com vontade de receber ninguém em casa.

E você pode me dizer: "Ah, mas é só uma mentirinha". E eu lhe digo que, se você inventou uma "mentirinha" naquele momento, o seu sistema energético acusou uma pequena queda de energia.

É muito menos grave do que uma "mentira cabeluda", mas é mentira igual. Mas, se você vive a verdade a cada ato, o seu sistema energético e a sua aura trabalham com o mais alto padrão de energia equilibrada.

Você precisa aprender a dizer: "Ah, não vem agora não porque eu estou com muita vontade de ficar quietinho...".

Mas a maioria das pessoas não quer suportar o mal-estar que vai gerar falar um "não" para o outro, então prefere mentir para si próprio e não sabe que a construção de pequenas mentiras pode adoecer a pessoa de tal maneira que pode provocar consequências inexplicáveis aos olhos destreinados.

O nosso sistema de energia não aceita a mentira, tanto que nós temos um sistema de sete cores no campo áurico*. Se você fosse fazer um equilíbrio quase que aritmético das cores, se todos os chacras tivessem equilíbrio, a resultante seria o verde. Em outras palavras, se você estivesse no equilíbrio absoluto, a sua aura seria verde. Verde e verdade têm a raiz na mesma palavra.

É o amor. O amor pelo que você faz, pelo que você vive, pelo que você experiencia. É por isso que você precisa fazer o que gosta. Estou aqui para gerar essa perturbação em você. Estou aqui para estimulá-lo a olhar para a sua vida e refletir com sinceridade, pois "Deus te deu dois anos" para buscar a verdade no seu trabalho.

Agora eu tenho uma notícia boa: às vezes, você está completamente envolvido, enroscado no trabalho e percebeu que tudo está errado, mas ainda não conseguiu mudar, contudo já está lançando pensamentos, ações, seja a leitura de um livro, ou desse livro aqui hoje. Nesse caso, você já está se mexendo.

Entende?

E uma vez que você tiver a percepção "Puxa, é verdade, eu não faço o que gosto", isso já é um caminho de cura.

E dentro do contexto de não trabalharmos com o que gostamos, temos uma situação gravíssima: o consumo de antidepressivos, ansiolíticos, moderadores de humor e de ansiedade. No Brasil, o consumo é nada mais nada menos do que de 42 milhões de caixas por ano.

---

* Campo de energia eletromagnética vital que envolve o corpo humano.

Nosso país já é o campeão mundial de consumo de remédios desse tipo. Além disso, um em cada cinco brasileiros em média já consumiu ou consome remédios antidepressivos. Não seria nada tão grave se esses remédios não estivessem tentando atuar no emocional. Eu digo isso porque o emocional é um assunto que não se deve tratar com remédio.

Eu sou químico industrial, técnico em química e tenho experiência profissional atuando nessa área. E não se trata doença emocional com remédio, a não ser que a pessoa esteja prestes a tirar a sua própria vida. Aí, além de você dar muito remédio para ela, (o que só deve ser feito por um psiquiatra, obviamente) contenha a pessoa se preciso for, até que se tenha tempo para pensar no que fazer, porque são casos que envolvem grande risco de vida.

Doenças mentais e emocionais que todos nós temos de uma maneira ou de outra (por exemplo, numa segunda-feira quando você acorda vem aquele vazio, que tira a sua força) não podem ser tratadas com remédios. Mas é a cultura do brasileiro imediatista que alimenta essa atitude.

E quais as áreas da sua vida são afetadas por isso, por não viver a verdade da sua alma? Já pensou sobre isso?

Muitas vezes, você pode até achar que a prosperidade na sua vida não vem porque seu salário não é bom, seu chefe não te prestigia ou porque o ramo que você escolheu não é o mais valorizado. Mas não é verdade! O motivo principal é porque você está fora da sua sintonia.

Eu sou uma pessoa extremamente criativa de cinco anos para cá. Eu tenho tantas ideias, que a minha cabeça não para de criar coisas novas. E quem está perto de mim no dia a dia sabe que eu não estou mentindo, eu não estou exagerando. Por quê?

Porque faço absolutamente o que amo, o que sou apaixonado e meu desafio pessoal é o trabalho em excesso. Se tenho uma coisa para mudar na minha vida hoje é que preciso aprender a trabalhar menos.

Não que eu seja santo, nem mártir, nem nada. Eu não consigo desligar porque eu amo o que faço. Amo tanto que eu gosto de dizer que eu não trabalho, eu me divirto. Só que não é bem assim também, pois todo mundo tem algo para curar. E, entre outras coisas que preciso melhorar, essa é uma delas.

Prosperidade, saúde, relacionamentos, autoestima e todas as áreas da sua vida são afetadas porque você não está no seu centro, você não tem a quantidade de energia que você poderia e deveria ter e, simplesmente, as coisas não andam para você.

Aí você começa a ir a um terapeuta, um *coach*, começa a ler um livro de autoajuda e começa a viver com um propósito. Esse é um início para quem quer evoluir espiritualmente, no sentido de melhorar o estado de espírito.

Só que tem muita gente que foge da evolução espiritual porque acha que evoluir é chato, que é um saco.

A evolução espiritual traz prosperidade, alegria, amigos, bons negócios, bons relacionamentos, boas viagens, uma vida melhor. Porque é a sintonia com a sua verdade. É um nível de consciência que faz você perceber os problemas de outro jeito e reagir com mais sabedoria.

E aí, por que eu estou falando isso? Exatamente porque vivi momentos terríveis, de grandes desafios. Eu brigava muito em casa. Hoje distante a mil quilômetros do meu pai, da minha mãe e dos meus irmãos, eu os amo 800 mil vezes mais. Porque eu vi que eu não estava no meu lugar. E eu cobrava dos outros que estivessem num lugar que confrontasse ou conformasse aquele vazio que eu sentia. Então, se você não viver a missão da sua alma, sabe o que você vai fazer? Ou vai afastar as pessoas da sua vida ou vai sobrecarregá-las. Como eu fiz e ainda faço quando me esqueço de buscar harmonia! Porque quando você está na missão da sua alma, você está em conexão com forças superiores. Você pode pensar:

"Ah, eu não tenho mediunidade!*" Mas não precisa ter nenhuma mediunidade. Só que um dia você acordou com uma ideia, isso é mediunidade? Um dia você pensou em alguém e essa pessoa te ligou, isso é mediunidade? Talvez você não seja espírita, mas a mediunidade não pertence ao Espiritismo, a mediunidade é uma faculdade das pessoas, assim como a criança que começa a andar, um gato que começa a miar, um cachorro que começa a latir, as suas faculdades vão aparecer. Mas, às vezes, a pessoa é tão bloqueada e trabalha no que trabalha por tanta obrigação e medo, que o resultado é nebuloso.

Trabalhei muitos anos em consultório, atendi milhares de pessoas e, por incrível que pareça, encontrei um grupo de pessoas que tinham doenças parecidas e eram funcionárias públicas que buscaram esse trabalho unicamente pela estabilidade. Eu tenho alguns amigos funcionários públicos, dois que eu me lembro de São Paulo e dois aqui do Rio Grande do Sul. E, conversando com essas pessoas, eu vejo o quanto elas gostam desses trabalhos, porque alimenta a alma delas e elas enxergam propósito naquilo, e está tudo certo nesses casos.

Agora, se você é funcionário público e está passando uma fase da sua vida em que você precisa de estabilidade, mas não

---

* Capacidade de intermediar, de agir como uma ponte entre energias de diferentes dimensões. A mediunidade também é conhecida como uma forma de sensibilidade ao extrafísico.

gosta do que faz, saiba que você tem aproximadamente dois anos para começar a pensar em outras coisas, pois, como eu disse antes, é o tempo que o corpo suporta até começar a dar sinais de que vai adoecer.

No Brasil, nunca se empreendeu tanto, portanto agora você tem muita oportunidade de empreender ou, simplesmente, de buscar outro trabalho. É fato!

Ah, eu sei que muitas vezes o leitor que já está acostumado com meus conteúdos espiritualistas acha chato quando entro nesses temas, pois gosta mais quando sou mais poético ou quando falo de coisas mais ligadas ao espiritual, mas agora estou falando algo para incomodar você. Sabe por quê?

Porque, quando mudei e aceitei que tinha que equilibrar as emoções, comecei a ver os resultados positivos. É isso que desejo para você também. Não tenho como explicar a sensação que sinto! É muita alegria! É muito tudo, sou muito feliz hoje. Sou muito feliz de coração e todos que me conhecem sabem que não estou falando assim porque estou me portando agora como um autor de livro...

E é isso que eu quero passar para você. Quando comecei a atender em consultório e percebi que é necessário encontrar e realizar a missão da alma para uma vida plena, tudo mudou para mim.

Então eu percebi que havia um método ou uma fórmula para trabalhar na Nova Era. E foi essa percepção que causou uma revolução na minha vida e na vida de todos aqueles que puderam fazer meus cursos ou seguir meus conteúdos na internet ou por meio dos livros.

Posso dizer que renasci! Criei patamares muito mais elevados, novas fórmulas, roteiros. Eu desenvolvi um livro chamado *Decisões – Encontrando a missão da sua alma*. Lancei um programa em áudio específico chamado *Realize a sua missão*, muitos cursos on-line e também ministrei muitas palestras presenciais para grandes públicos, sempre abordando o mesmo tema da missão e do propósito de cada ser.

E agora estou com você neste livro também, organizando tudo para que o seu caminho seja muito mais curto, rápido e assertivo do que foi o meu.

Agora o meu objetivo é lhe perguntar: como viver a missão da sua alma no seu trabalho?

Profissionalmente falando, vamos lá... É o seguinte, você precisa sentir satisfação em 70% do tempo.

Lembrem-se dessa regra de ouro: sentir satisfação em 70% do seu trabalho.

Se você é faxineiro, pipoqueiro, DJ ou o que for, você precisa sentir satisfação em 70% do tempo.

Seu jeito ou modo de trabalhar precisa ajudar mais pessoas mesmo que indiretamente e você precisa reconhecer isso, ou seja, precisa estar consciente disso.

Você precisa reconhecer! Estou dizendo que você precisa ver no seu trabalho qual a contribuição que ele traz para o mundo.

Essa concepção da Nova Era pede que você viva dessa forma.

"Ah, eu não quero viver assim", é o que você pode responder ou alguma outra pessoa pode pensar, certo?

É claro que dá para viver mais ou menos de outro jeito, mas estou me referindo a como conseguir a plenitude, como conquistar a conexão com um padrão de energia elevado e um estado de espírito forte.

Mas isso não ocorre porque sou de São Paulo, ou porque sou corintiano, ou porque sou homem, ou porque sou branco de pele, ou porque sou qualquer outra coisa.

Não é algo relativo a uma condição individual, mas trata-se de algo relacionado a leis naturais que agem sobre tudo e sobre todos neste planeta.

Se uma pessoa pode, muitas pessoas podem. E eu tenho uma série de consultantes, leitores e amigos, que praticam as mesmas coisas que eu e conseguem resultados impressionantes, alguns em tempo recorde (mas não se preocupe, pois vou ensinar neste livro como fazer essa mudança em tempo recorde também).

Reconheça fortemente que seu modo de trabalho e de vida está contribuindo para a evolução do mundo. E se você não conseguir reconhecer isso, ou é porque realmente o seu trabalho não melhora o mundo, ou é porque você não está conseguindo enxergar.

De qualquer maneira, eu recomendo que você reflita ao menos uma semana sobre o tema para chegar a uma resposta mais apurada. Além disso, com as técnicas que vou ensinar a seguir, você terá muita facilidade.

Tem gente que fala: "Bruno, eu trabalho em um caixa de supermercado, como posso ver propósito nisso?".

Se você não acha o propósito que tem nesse trabalho é porque você está desconectado da interligação que tudo nessa vida tem. Puxa vida!!! Ainda bem que tem supermercado! Ainda bem que existe uma pessoa para lhe servir lá! E é preciso reconhecer isso com amorosidade e resignação.

Estou falando de atitude, de saber o que você faz, de viver em satisfação e encontrar propósito naquilo. Isso já muda o seu sistema de energia sutil interno. Espero que você definitivamente compreenda isso.

PONTO DE AVALIAÇÃO

As três questões sobre viver a verdade da alma que eu compreendi são:
_____
_____
_____
_____

A principal lição que aprendi sobre o modo certo de trabalhar na Nova Era é...
_____
_____
_____
_____

As três principais lições que eu aprendi e que vou levar para o meu trabalho são...
_____
_____
_____
_____

O maior benefício que eu tive com esses aprendizados foi...
_____
_____
_____
_____

Como descobrir o meu trabalho ideal?

Se você vai trabalhar em uma empresa, se vai trabalhar para outra pessoa, se vai abrir o próprio negócio, não importa. Importa é que você siga esse esquema. Vou explicá-lo e dizer que já é bem conhecido. Mas aqui eu quero adicionar alguns elementos que farão a diferença para você desenvolver o seu trabalho ideal. Em outras palavras, essa é uma versão aprimorada de um esquema muito eficiente para ajudar pessoas a descobrirem seus trabalhos ideais.

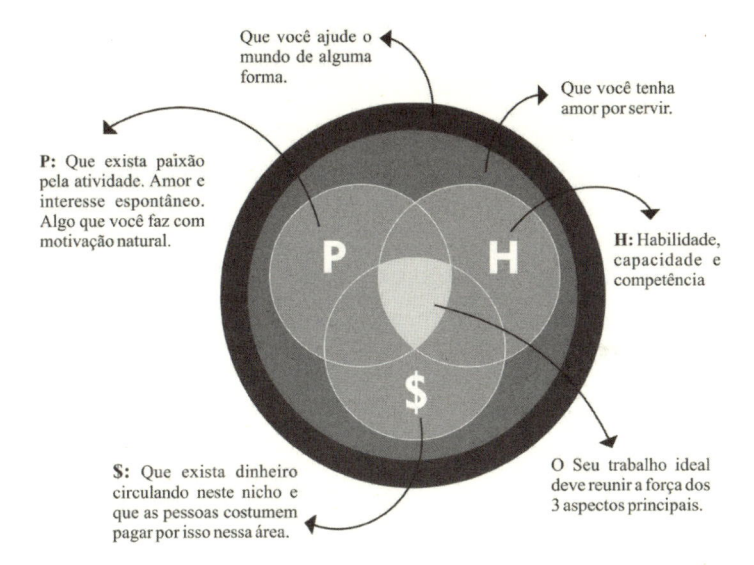

Que você ajude o mundo de alguma forma.

Que você tenha amor por servir.

P: Que exista paixão pela atividade. Amor e interesse espontâneo. Algo que você faz com motivação natural.

H: Habilidade, capacidade e competência

S: Que exista dinheiro circulando neste nicho e que as pessoas costumem pagar por isso nessa área.

O Seu trabalho ideal deve reunir a força dos 3 aspectos principais.

Esses três elementos são os componentes básicos que precisam coexistir para que você consiga descobrir uma forma de trabalho que alimente a sua alma. Contudo, este esquema só estará completo e alimentará o propósito maior da evolução constante se você adicionar dois elementos a ele QUE JÁ ESTÃO PRESENTES, mas não foram explicados.

Perceba que existem dois círculos maiores, um cinza claro um cinza escuro, certo?

O cinza escuro significa = que você ajude o mundo de alguma forma.

O cinza claro significa = que você tenha amor por servir.

Portanto, para desenvolver o trabalho que lhe alinhará com o seu propósito de vida, você precisará unir:

Amor e paixão espontâneos e naturais pela atividade

Habilidade, competência ou capacidade que pode ser natural ou desenvolvida com o preparo, experiência ou estudo.

Precisam existir pessoas que paguem por isso. Se unir P+H, e contudo ninguém pagar um centavo por isso, a chance de você se frustrar por conta da falta de prosperidade é de 100%.

Perceba que nem monges, religiosos e renunciantes viveriam bem assim, pois, embora eles renunciem aos bens materiais para si, eles precisam do dinheiro para utilizar em suas causas junto dos necessitados. Contudo, se atuassem em uma área onde as pessoas não reconhecessem a importância da caridade, seus projetos não se realizariam.

Espero que você entenda que o dinheiro é um fluxo que precisa fluir constantemente para que os projetos do mundo se realizem. Usar esse fluxo para o bem ou para o mal é responsabilidade de cada um, contudo ele precisa existir.

Precisa existir amor por servir e se doar naquele trabalho ou causa.

Precisa existir uma consequência natural de que a tarefa ou atividade melhore o mundo direta ou indiretamente.

Essa é a fórmula perfeita para se trabalhar na Nova Era ou novos tempos!

Esses três círculos falam de coisas essenciais que devem existir no seu trabalho.

Escolha um nicho em que as pessoas paguem pelo seu trabalho, porque o dinheiro é um fluxo vital da terceira dimensão. Se você não souber lidar com o dinheiro na Terra, você adquire carma!

Você não pode rejeitar o dinheiro, isso seria uma fuga, e saber usá-lo de forma equilibrada faz com que ele seja um dos maiores instrumentos da nossa vida. Paixão, habilidade e dinheiro: você precisa escolher alguma coisa que junte os três. E aí, quando você pegar o ponto de intersecção entre os três, escolha o seu trabalho ali, nesta área.

Escolha o seu trabalho com base nessa regra e depois adicione amor por servir e percepção consciente e real de que ele realmente ajuda o mundo a evoluir. Assim, você será feliz e próspero.

Como descobrir sua paixão?

Paixão é assim... Você fala com entusiasmo sobre o assunto, acorda cedo sem problemas para fazer ou para falar daquilo, não vê o tempo passar quando fala sobre. Esse assunto está relacionado à maioria dos livros que você tem, olhe na sua biblioteca. Você tem mais livros sobre a sua paixão. Faria de graça se fosse preciso, quando fala do assunto, as pessoas param para ouvi-lo. Por exemplo: minha amiga Patrícia Cândido quando fala da cultura espiritual da Índia, todo mundo fica olhando para ela. Todos ficam envolvidos pela forma como ela exala paixão pelo assunto.

Outra coisa importante é que você também tenha facilidade quando o assunto é este, ou seja, que você aprenda fácil.

Você não consegue parar de falar sobre, ou seja, você vira uma matraca, normalmente, e neste assunto, você se fascina. Está ligado às pessoas que você mais admira. Você mais admira aquela celebridade, porque de alguma maneira engloba a paixão que você tem. E, se você pudesse fazer uma única coisa pelo resto da sua vida, qual seria? Isso revela uma paixão.

Habilidade.

O que é habilidade? A habilidade você treina quando tem paixão, disciplina, iniciativa e persistência. Se você ama o que faz e não trabalha contrariado, sente paixão.

O que eu estou querendo dizer?

É que, se você tiver paixão pela coisa, a habilidade vem naturalmente!

Dinheiro $

Você precisa saber se as pessoas pagam por isso. Atualmente existe no Google uma ferramenta de palavras-chaves. Você digita lá no Google aquilo que você quer fazer "artesanato em máscaras de couro, artesanato em cartonagem" e vê se mais alguém já ganha dinheiro com essa atividade.

Muitas pessoas, quando começam a empreender em algo, abrem um campo de trabalho onde ninguém pagava por aquilo antes. Mas, com o tempo, as pessoas percebem o quanto é valiosa a solução que agora você tem para oferecer.

Esses são os maiores empreendedores do mundo, porque foram visionários e tiveram a coragem de explorar um novo mercado, mostrando o mundo por outro ângulo.

Qualquer um pode usar a ferramenta de palavra-chave do Google e descobrir se as pessoas pagam por isso ou não. Existem anúncios em revistas do que você quer fazer, que também indicam que existe um fluxo de dinheiro naquele nicho. Então você começa a ter uma noção se as pessoas pagariam pelo que você quer fazer, esteja você querendo trabalhar no seu negócio ou querendo trabalhar em alguma instituição.

Certa vez, uma moça me procurou. Ela era especialista em montar ONGs para ajudar em problemas específicos de bairros pobres de cidades grandes (do mundo). Ela era mestre no assunto, só que aquela área não tinha um fluxo de dinheiro, ou seja, ninguém estava interessado em pagar por aquele trabalho. Só que aquele era o trabalho daquela moça! Então o que fazer nesses casos?

Derivar...

Sim, derivar. Isso significa lapidar uma nova versão do trabalho, em que o P+H + amor por servir + ajudar o mundo a evoluir se mantenham, mas sejam alinhados na direção do $.

Para resumir, essa pessoa começou a fazer o trabalho e oferecer apenas para celebridades e atletas muito bem-sucedidos, que estavam interessados em converter os valores de imposto de renda em projetos sociais.

Ela ajudava essas pessoas a construir projetos que fizessem que o dinheiro fosse bem aproveitado, ajudasse pessoas carentes, só que agora ela era muito, muito bem remunerada por isso.

Então, você precisa encontrar uma área para trabalhar em que as pessoas achem valor, porque daí você monetiza o seu conhecimento. Derive e lapide quantas vezes forem necessárias, mas você precisa mostrar o que você faz de forma que seu trabalho seja valorizado.

Mais sobre o $

Não tem nada melhor do que fazer o que se ama, desenvolver habilidade, disciplina e ainda se alinhar ao fluxo financeiro próspero da atividade!

Uma outra pergunta ajuda bastante a entender se a área que você escolheu tem um bom fluxo de dinheiro: existem grandes empresas atuando nessa área?

Se você vir que existem grandes empresas atuando na área que você quer, já pode acreditar que nesse nicho flui dinheiro suficiente para você construir o seu fluxo financeiro.

PONTO DE AVALIAÇÃO

Os três maiores aprendizados que eu tive sobre **Paixão** foram...

_____
_____
_____

Os três maiores aprendizados que eu tive sobre Habilidade foram...

_____
_____
_____

Os três maiores aprendizados que eu tive sobre o **D**inheiro foram...

_____
_____
_____
_____

O maior aprendizado que eu tive sobre amor por servir foi...

_____
_____
_____
_____

Com base nos ensinamentos que tive até o momento, idenfiquei que o meu trabalho ideal (que reune P+H+$+ Amor por servir + Ajuda ao mundo) é:

_____
_____
_____
_____

Capítulo 3

Os dois principais problemas no caminho da sua missão

OS DOIS PRINCIPAIS FATORES QUE O IMPEDEM DE REALIZAR A SUA MISSÃO E COMO CONTORNÁ-LOS

Existem duas questões que mais atrapalham as pessoas (consultantes, alunos e leitores) com as quais pude trabalhar em toda a minha carreira. Preste bem atenção, pois elas podem explicar como resolver esses problemas, que estão entre os principais que bloqueiam o crescimento e a felicidade de qualquer um.

[Problema 1]

Não sei nem por onde começar a mudança. Não sei o que fazer!

A energia da vontade humana é a força que construiu todas as coisas físicas que foram materializadas pelo homem, e tudo, absolutamente tudo, nasceu na mente de alguém.

O pensamento dispara um campo de energia, que mais tarde se transforma em vontade, a qual, por consequência, promove ações relacionadas.

Como faço mudanças em minha vida quando percebo que estou no caminho errado?

Essa questão, embora complicada para a pessoa que está passando pelo sofrimento, é muito simples de ser modificada, desde que exista disciplina e foco.

Notadamente, quando a pessoa sente aquele vazio interno, que gera angústia e insatisfação pela vida, sentimentos característicos de quem ainda não encontrou o seu propósito no mundo, ela sofre. Sofre porque se sente mal com o desalinhamento. Contudo, é a força do desejo que promove mudanças, e esse desejo só pode ser ativado com pensamentos adequados sobre cada situação.

Na prática, isso se resumiria à criação do hábito diário das visualizações criativas. Mas vou explicar melhor.

As visualizações criativas têm o poder de - por meio da lei da atração magnética - criar imagens mentais que aos poucos vão dando vida e emoção para os novos passos e os novos feitos.

Todo pensamento repetitivo dá vida às situações relacionadas à natureza dos conteúdos predominantes das imagens mentais. Em outras palavras, tanto faz se a pessoa cria imagens mentais de situações negativas ou positivas. Sejam as imagens que forem, as emoções associadas sempre terão o poder de aproximar acontecimentos de mesmo teor.

Somos os criadores de nossas realidades e os cocriadores da realidade planetária, pois tudo que foi criado assim foi manifestado com base em um pensamento inicial.

Quando você descobrir que está no caminho errado da missão da sua alma, então comece imediatamente a projetar em sua tela mental a ideia daquilo que seria o caminho certo.

Faça as visualizações do seu futuro próximo durante três minutos, no mínimo três vezes por dia, e você mudará a sua realidade em uma velocidade impressionante. Tenha o cuidado de escolher pensamentos e imagens que apenas disparem emoções positivas, pois lembre-se, você atrai o que pensa.

E se eu não sei qual caminho seguir?

Muitas pessoas me perguntam: "mas se eu nem imagino qual é a missão da minha alma, como poderei fazer visualizações em que eu vivo o meu propósito?"

Recebo diariamente e-mails com essa pergunta. A resposta é simples e o erro das pessoas também é.

O principal erro é:

Quando as pessoas não estão felizes com algo, ou quando estão angustiadas com a forma como vêm vivendo, ficam presas nos mesmos sentimentos, os quais são predominantemente os de que suas vidas estão insatisfatórias. Com esse padrão mental, continuam criando cada vez mais realidades de insatisfação.

Para que possam mudar essa realidade, precisam promover uma forte quebra de pensamentos, através de novos hábitos, novas leituras, novas práticas, frequentando novos ambientes, fazendo ações ousadas no sentido da evolução de suas consciências, o que inclui terapia, dança, exercícios, cursos e muito mais.

A resposta para a questão é:

Você não imagina qual é o seu propósito ou missão da sua alma, certo? Mas como seria se você encontrasse? Como você se sentiria se estivesse descoberto a missão da sua alma e se a estivesse vivendo plenamente? Como seriam as suas emoções? Como seriam suas conversas com os seus amigos sobre isso? Como seria o seu sorriso? Como seria a sua vida como um todo? Quais elementos essenciais surgiriam em sua personalidade se você estivesse vivendo o seu propósito? Você estaria feliz? Sentiria plenitude? A prosperidade aumentaria? A saúde melhoraria? A paz de espírito seria constante? O que mais aconteceria com você?

Reflita agora sobre todas as perguntas, imagine cada situação com calma.

Então projete como você se sentiria, transforme todas essas respostas em um conjunto de imagens mentais, ou seja, o filme da sua nova vida. A partir disso, comece a fazer visualizações diárias com o conteúdo dessas imagens, no mínimo três minutos, três vezes ao dia. Espante todos os pensamentos que lhe geram angústia e aguarde o "milagre" acontecer na sua vida!

Essa prática vai disparar uma série de movimentos relevantes que certamente lhe impulsionarão a novos feitos. Esse é o ponto em que a sua missão começa a desabrochar.

É simples assim?

É!

Só é preciso uma pequena "coisinha" um pouco difícil de se encontrar nos dias de hoje: comprometimento.

Sem se comprometer, e por assim dizer, sem desenvolver uma disciplina perfeita na realização dos exercícios diários, você não viverá em sintonia com o que a sua alma quer que você viva.

A decisão é sempre sua.

(Lembre-se que você pode acessar um bônus online para entender melhor questões como essa citada acima. O link para acesso é www.asuamissao.com.br/livro)

[Problema 2]

Não consigo ter disciplina para fazer o que precisa ser feito

Neste item eu preciso ir direto ao ponto! Você não consegue ter disciplina com as coisas que não ama fazer!

Você precisa encontrar o que ama fazer e, quando você encontrar, vai desenvolver naturalmente a disciplina.

Então eu lhe pergunto:

Você não tem disciplina pelo que você precisa fazer ou não tem paixão pelo que você precisa fazer?

Eu quero que você reconheça que simplesmente não há como você ser feliz plenamente, em todos os níveis da sua existência se a sua motivação principal não for o amor pelas suas atividades principais. Em outras palavras, você precisa amar predominantemente 70% de todas as suas atividades!

A melhor coisa a ser feita é sempre conseguir estabelecer um elo de amor em todas as tarefas que exigem disciplina e ao longo do tempo alimentar atitudes que façam o sentimento amoroso crescer.

Você não consegue ter disciplina se você fizer as atividades profissionais ou corriqueiras por mera obrigação ou necessidade. Por isso, o ponto principal não é desenvolver a disciplina nas coisas mais importantes da sua vida, mas desenvolver o amor. Encontre alegria natural e espontânea por suas atividades profissionais, porque assim você terá facilidade em desenvolver disciplina. Com a constância, você desenvolverá as suas habilidades e assim tenderá a tornar-se um *expert* na sua área e, quando isso acontecer, a sua autoestima vai elevar-se.

Quando a sua autoestima elevar-se, o seu amor pela atividade aumentará ainda mais, e o processo seguirá seu fluxo ascendente para o aprimoramento das suas especialidades. É nesse ponto que a sua vida se ilumina e que você começa a desenvolver as missões genéricas naturalmente.

Eu acredito que essa é uma alquimia que lapida profundamente a alma pelo poder do trabalho realizado em sintonia com a missão de alma.

O QUE VOCÊ NÃO PODE FAZER!

- *Você não conseguirá se realizar se viver a maior parte do seu tempo fazendo o que não gosta.*
- *Você não será feliz se fizer unicamente o que é obrigado a fazer.*

∴ *Você jamais estará em paz consigo mesmo se viver apenas para agradar aos outros.*

∴ *Alegria e amor só brotarão no seu coração se você passar a maior parte do seu tempo animado pelo efeito do sentimento que tem em fazer o que gosta e viver de maneira agradável.*

Todos sabemos que, durante a nossa vida, e na rotina do dia a dia, não temos como fazer apenas o que nos agrada. Quase sempre é necessário fazermos diversas tarefas por obrigação, necessidade, e até contrariados. Todavia, a maior parte do seu tempo, deve ser usada para se viver em comunhão com o que o anima e o motiva para a vida.

Tome uma criança como exemplo. Quando ela está se divertindo em meio as suas fantasias, suas brincadeiras e seus brinquedos, o sentimento que ela nutre é de pura plenitude, de conexão com a Fonte Maior e de alegria. Para ela, no momento de sua brincadeira, tudo está fluindo perfeitamente.

Você pode pensar que não tem mais como viver uma vida de criança. Obviamente que sabemos disso, entretanto, alguns aspectos podem ser observados e utilizados para o melhor entendimento do assunto, porque, quando a criança está em sintonia plena com a alegria da sua brincadeira, fica sorridente e abastecida com uma grande quantidade de energia vital e entusiasmo.

Não temos como ser felizes, realizarmos grandes feitos ou termos criatividade se não estivermos sintonizados com a alegria de fazer as tarefas diárias. É por isso que o ser humano precisa dar toda atenção e foco quando for escolher sua atividade profissional ou o conjunto de tarefas que tomem a maior parte do tempo de sua vida. É por isso também que se faz necessário saber construir relacionamentos que não lhe bloqueiem de ser a pessoa que você é com as características únicas que você tem. Infelizmente, a maioria das pessoas, na tentativa de se encaixar no estilo louco de vida atual, acabam desenvolvendo atitudes que não representam exatamente a essência do que são, tentando ser mais bem aceitas ou agradar à sociedade em que vivem. Quando isso acontece, a pessoa se desconstrói, se desconecta dela mesma e perde a força de entusiasmo tão necessária para viver bem.

Você precisa ser o que nasceu para ser.

Precisa encontrar o seu lugar no mundo e realizar a missão da sua alma, pois só assim estará integrado com a sua própria essência, que por consequência é a via de acesso da plenitude em sua vida.

Infelizmente nesta condição atual da vida no planeta, o que mais encontramos são pessoas vivendo no "piloto automático", movidas unicamente por questões materiais e pela necessidade de manterem seus estilos de vida, os quais nem sempre são estilos em sintonia com o que realmente desejariam que fosse.

O que essas pessoas não percebem é que, ao agirem assim, estão fundando as bases de sua existência no medo e na incoerência, as quais cobram o seu preço.

A maioria das pessoas não trabalha no que gosta e suas tarefas diárias não alimentam a sua alma. Uma pequena parcela apenas trabalha ou vive motivada pelo sentimento de estar plenamente em "seus lugares". Sentir-se em "seu lugar" quer dizer que você se conhece e conhece os seus potenciais. Você gosta da pessoa que é, de fazer o que faz e de ficar em sua própria companhia. Sentir-se em seu lugar é amar o ser que você se tornou, pois aprendeu que as suas potencialidades surgem quando você é fiel com o seu conjunto de valores. Sentir-se em "seu lugar" é viver a verdade da sua alma, agindo, vivendo e se movimentando com base no sentido que vem de dentro de você.

Não se pode viver a plenitude sem estar no "devido lugar". Não dá para ser plenamente feliz sem desempenhar o seu papel.

Para se realizar, você precisará focar obstinadamente em ser fiel ao que nasceu para ser. Você precisa conhecer e viver a sua verdade.

PRINCÍPIOS VALIOSOS PARA A SUA TRANSFORMAÇÃO AGORA

Se quer encontrar e realizar a missão da sua alma, alguns passos são necessários para que você comece a se alinhar, e para isso, você precisará entender que:

1- Evoluir sempre é a questão mais importante da nossa existência. Em primeiro lugar, você precisa melhorar os aspectos da sua consciência, curando os traços negativos da sua personalidade, como raiva, medo, tristeza, mágoa, pessimismo, intolerância, agressividade, tendência a criticar, tendência a controlar os outros, tendência a se isolar do mundo, tendência a se culpar, e assim por diante. Leia livros, faça cursos, terapia, participe de grupos específicos, todavia jamais, sob nenhuma circunstância, deixe de dar prioridade número um a curar os seus pensamentos e emoções negativas.

2- Entenda que você é 100% responsável por você. Ninguém é responsável pela sua felicidade e você também não é responsável pela felicidade de ninguém. Arregace as mangas e siga em frente com vontade de fazer a diferença. Você pode até não saber o que está fazendo e também não ter certeza se está no caminho certo, mas, se você estiver cheio de ânimo para encontrar o seu caminho, naturalmente encontrará, pois esse movimento obedece às leis naturais.

3- Você não conseguirá ir a lugar nenhum se não valorizar o que você é e o que tem no agora. Jamais reclame ou critique, tampouco gaste o seu tempo se lamentando pelo que não tem ou não conseguiu. Entenda o seu momento atual como um nível necessário, mas projete mentalmente aonde você quer chegar e como você quer se sentir. Todos os dias, sem exceção, agradeça por todas as suas bênçãos, agradeça a sua vida e tudo ao seu redor e, em seguida, volte o pensamento para onde você quer chegar. Gratidão e foco no seu objetivo são ingredientes mágicos que turbinarão a sua energia interna de realização.

4- Ser para ter é a chave. No mundo atual, a maioria das pessoas olha ao seu redor e em algum momento sente uma carência profunda por não ter os bens materiais que o vizinho tem, por não ter o emprego que um amigo tem ou o relacionamento perfeito daquela pessoa que está na mídia. Nesse momento, de forma ilusória, a pessoa pode acreditar que para ser feliz precisará dos bens materiais do vizinho, do emprego do amigo ou o relacionamento perfeito daquela celebridade. Como dificilmente ela conseguirá tudo isso, tal e qual as pessoas citadas conseguiram, então o sentimento de carência pode vir à tona com toda a força. Esse é um erro comum.

Você não pode inverter o caminho das coisas, não podemos ter algo para ser, entretanto, devemos ser para ter. E o ser para ter envolve exatamente a aplicação correta do princípio 1. Você não pode afogar um sentimento ruim, a única saída é curá-lo profundamente. Portanto, não é com uma conquista material, relacionamento ou emprego dos sonhos que você deixará de sentir as emoções negativas, mas com consciência sobre você mesmo, sobre a sua existência, sobre os seus papéis e o sentido da sua vida é que você conseguirá saciar a carência natural que surge quando olha o mundo e as coisas ao seu redor.

5- Adquira o hábito da reflexão diária. Sem parar todos os dias, silenciando os sons externos e acalmando a mente, fica muito difícil de escutar a voz da sua alma. Internamente, no âmago da nossa consciência, encontramos as respostas certas para absolutamente todas as situações da nossa vida, contudo, não somos acostumados a isso. Todos os dias, feche os olhos por 10 minutos e faça perguntas mentalmente, as quais tem o objetivo de analisar como a sua alma se sente quanto à forma que você vem vivendo a sua vida. Faça cada uma das perguntas, depois aguarde surgir automaticamente as respostas. Em seguida, respire fundo, corte a conexão com a pergunta anterior e continue se perguntando mais por alguns minutos. Algumas perguntas que você pode se fazer são:

- *Se eu morresse hoje, como eu me sentiria? Estaria pronto para ir? Quais assuntos pendentes ficariam? Quais emoções negativas eu sentiria? Por quê? Quais as pessoas com quem ainda eu precisaria me harmonizar? Por que eu não fiz isso ainda?*
- *Quais são as minhas principais limitações? Quais são os meus principais defeitos segundo a opinião das pessoas com quem eu mais convivo?*
- *O que eu poderia fazer para sofrer menos com situações que enfrento na vida?*
- *Eu estou no meu lugar no mundo?*
- *Quanto esforço eu faço para ser aceito(a) pelas pessoas à minha volta? Isso é realmente necessário? Eu estou agindo corretamente?*
- *Qual o tamanho e a qualidade do legado que eu já construí nesta vida? Quantas coisas eu já fiz pelo mundo das quais eu posso me orgulhar?*
- *Eu gosto do que me tornei?*
- *O que eu pretendo começar a fazer neste instante para melhorar a minha vida e o mundo?*

Após os seus questionamentos, que não devem ser feitos em tom de raiva, cobrança ou julgamento, mas sim com leveza, faça as seguintes afirmações.

Eu sou um filho de Deus.

Eu sou o filho do Criador.

Eu sou um criador também.

Eu escolho ser feliz.

Eu escolho viver a missão da minha alma.

Eu posso sempre construir novos caminhos.

6- Você só muda o mundo começando por você. Você não consegue mudar no outro o que não consegue mudar em si mesmo. Ensine pelo exemplo, seja o exemplo! Se quer mais harmonia, conquiste-a primeiro. Se quer que alguém tenha mais amor, mais paciência, mais perdão, então tenha você primeiro mais amor, mais paciência e mais perdão.

7- Saia do piloto automático. O mundo de hoje está programado para as pessoas não pensarem, não refletirem e viverem dentro de uma proposta de comportamentos controlados para um padrão unicamente materialista e linear. Não assista à TV demais, não leia futilidades demais, não faça o que todo mundo faz o tempo inteiro, não fique na corrida louca do inconsciente coletivo, pois assim você será engolido. Questione as rédeas da sua vida o tempo inteiro e fique atento às emoções que sentir. Sempre que se sentir mal, olhe para dentro e encontre o significado deste sentimento antes de tomar novas decisões.

8- Tenha disciplina nos assuntos essenciais. Toda pessoa, com o tempo, descobre valores os quais ela não suporta viver sem, por isso, descubra quais são esses valores na sua vida e dê muita atenção a eles. Mantenha uma disciplina impecável em conquistar um comportamento exemplar nestas áreas da sua vida. Por exemplo, se você já percebeu que é uma pessoa que precisa de muito descanso e boas horas de sono, crie uma rotina disciplinada para garantir que isso aconteça, pois se você ceder já conhece as consequências negativas.

Todos nós temos áreas de nossas vidas que podem ser consideradas estratégicas, então as mapeie e determine um plano de ação para que sejam bem organizadas em sua vida.

9- Viver o seu melhor é uma consequência. Quando você aplicar na sua vida, um estilo de vida e comportamentos voltados para os princípios anteriores, naturalmente os seus dons e talentos vão começar a aflorar e você será inspirado a fazer novas coisas. É um movimento natural de quem lapida a sua essência, não há mistérios neste acontecimento, entretanto, abra a sua percepção pois, quando você começar a enxergar os seus talentos surgindo, você precisará explorá-los da melhor forma possível, e assim, você dará um incrível salto de qualidade na sua vida. Não há como ser feliz com seus próprios talentos se você não souber aplicar os princípios anteriormente citados.

PONTO DE AVALIAÇÃO

As três principais lições que eu aprendi sobre vencer o problema 1 (Não saber por onde começar) são...

_____
_____
_____
_____

As três principais lições que eu aprendi sobre vencer o problema 2 (Não ter disciplina para fazer o que precisa ser feito) são...

_____
_____
_____
_____

Capítulo 4

Os sete passos
a abertura dos sete fluxos

UM PROGRAMA PASSO A PASSO PARA VOCÊ MUDAR TUDO! AGORA!

A abertura dos sete fluxos é um programa rápido para você ativar a sua consciência, o seu campo energético e extrafísico para mudar o rumo da sua vida e ajustar a missão da sua alma em sete semanas.

Como fazer o programa.

São sete passos que compõem sete lições com pequenas atividades diárias e também pequenas alterações de comportamento que você precisará seguir.

Basicamente você terá que seguir um roteiro detalhado que é oferecido para cada uma das sete etapas.

Cada etapa corresponde a uma semana. Você não deve seguir para a próxima etapa, enquanto não completar os exercícios do passo anterior.

O tempo mínimo de realização de cada etapa é de uma semana, mas se você desejar ficar mais tempo, tudo bem, não existem contraindicações.

Assim que você terminar o programa dos sete fluxos, você poderá repetir totalmente, ou apenas praticar os fluxos onde ainda sente necessidade de reforçar o aprendizado.

Vamos a eles!

O QUE É ESSENCIAL ANTES DE COMEÇAR CADA FLUXO

1 – Eu espero que você tenha o comprometimento necessário, porque sem ele não se chega a lugar algum.

2 – Eu não sei se você já participou de alguns dos meus treinamentos on-line para encontrar e realizar a missão da sua alma. Caso não tenha participado, eu preciso dizer-lhe duas coisas:

(1) O método é rápido, eficiente e exige muita dedicação da pessoa que em pouco tempo muda completamente a sua vida.

(2) Não custa nada barato! Portanto aproveite a oportunidade de construir comigo, por meio de um livro (que é muito mais barato e igualmente eficiente), o seu caminho de missão e realização pessoal. Neste material, eu resumi todos os caminhos que realmente funcionam.

E por que eu estou falando assim?

É porque eu simplesmente não gosto de trabalhar com pessoas que não estejam comprometidas, porque eu me doo de corpo e alma para ajudar meus alunos, leitores e parceiros. Eu me dedico muito mesmo, com tempo, com energia, com força de vontade e motivação.

Mas acontece que eu só consigo dar o melhor de mim quando eu sinto a motivação dos meus alunos e leitores. Preciso sentir sua resposta, seu depoimento, seus casos de sucesso e os desafios que você venceu.

E por isso a nossa equipe criou o site www.asuamissao.com.br para você postar seus comentários.

Preciso ver os seus depoimentos escritos e de preferência em vídeo, porque assim conseguirei olhar nos seus olhos! Preciso sentir o fluxo da vida passando por você assim como passa por mim, porque, quando eu sinto "essa vida pulsando", sei que você já está no caminho certo!

Você se cadastra em nosso site www.asuamissao.com.br, e se a qualquer momento quiser sair, basta clicar em "descadastrar" em qualquer um dos e-mails e pronto!

Mas considerando que você chegou até aqui e está com muito ânimo para começar a sua mudança, vamos ao primeiro passo dessa transformação.

1º Fluxo

O PROPÓSITO

1º Passo – Faça por sete dias consecutivos

VOCÊ TEM UM PROPÓSITO!

Esse é o primeiro fluxo e também o que proporciona a ativação dos seis próximos. Esse fluxo diz que você precisa saber que é um espírito em evolução e que tem uma missão básica de evoluir.

Evoluir significa melhorar, expandir-se e principalmente aumentar o estado de amor sobre as pessoas, coisas e situações.

- *Se o amor pelos seus inimigos não estiver aumentando a cada dia, você não está abrindo este fluxo, ao contrário, estará bloqueando-o.*

- *Se o amor pelo seu trabalho não estiver aumentando a cada dia, você não está abrindo este fluxo, ao contrário, estará bloqueando-o.*

- *Se o amor pela sua família não estiver aumentando a cada dia, você não está abrindo este fluxo, ao contrário, estará bloqueando-o.*

- *Se o amor pela sua cidade não estiver aumentando a cada dia, você não está abrindo este fluxo, ao contrário, estará bloqueando-o.*

∴ *Se o amor pelo seu corpo e pelo ser que você é não estiver aumentando a cada dia, você não está abrindo este fluxo, ao contrário, estará bloqueando-o.*

∴ *E esses são apenas alguns entre os principais exemplos que já lhe mostram que os erros são mais comuns do que imaginamos.*

∴ *Entenda definitivamente: você é um espírito em evolução e essa evolução é o seu propósito. Do ponto de vista energético, da consciência e da alma, evoluir significa purificar-se. E purificar-se significa diminuir o estado de raiva, mágoa, tristeza, angústia, vaidade excessiva, perfeccionismo excessivo, controle excessivo, estresse, medo, falta de fé, maledicência, reclamação, vitimismo, entre outros.*

∴ *Conscientize-se de que a sua missão não é construir família, prosperar, conquistar bens materiais, etc. Isso tudo é importante e até essencial, mas é uma consequência e não a causa principal.*

> "Encontre a missão da sua alma, e a prosperidade encontrará você."

Qual é o motivo pelo qual Deus lhe concedeu a vida? Qual é o motivo pelo qual você existe? Qual é a contribuição que a Grande Existência espera de você para o mundo? Se você estivesse em uma conversa franca com Deus, oferecendo a Ele a sua solidariedade para com todas as pessoas do mundo, qual qualidade sua você ofereceria em total solidariedade à causa Dele?

E você pensa sobre a sua "causa" diariamente? Ou você só pensa em sobreviver aos dias, buscando uma conquista mundana atrás da outra?

Entenda uma coisa, não estou julgando se você vive de um ou de outro jeito. Não desejo que você mude se você antes não quiser isso. Não quero impor nenhuma verdade, porque faço o que faço com leveza e acho que tudo tem o seu tempo, mas faço com firmeza também. Mas, se você quiser mudar o rumo da sua vida, precisará mudar algumas pequenas coisas. E para simplificar o exercício, vou explicar o que você precisa fazer nesse período em que aguarda a explicação do 2º Fluxo, que é o da MATRIZ BÁSICA.

Para ativar o seu 1º fluxo (FLUXO DO PROPÓSITO), vamos aos exercícios que você deve fazer diariamente. Faça inicialmente por sete dias sem interrupções. Não importa a hora, desde que apenas faça. Se preferir, faça mais do que uma vez ao dia.

Depois dos sete dias, então você poderá partir para o 2º Fluxo.

Não importa a sua idade, não importa a sua crença, qualquer pessoa que fizer começará a sentir o FLUXO DO PROPÓSITO se abrindo ao realizar esse exercício.

Você só poderá considerar que fez realmente a sua parte se conseguir aplicar por no mínimo sete dias corridos sem interrupções.

EXERCÍCIO DIÁRIO:

Diariamente por sete dias, de preferência antes do café, leia três vezes cada uma das frases abaixo:

A) Eu tenho um propósito de vida. Eu escolho viver acordado para as verdades da minha alma, eu escolho viver a minha essência. Eu acredito na força do meu propósito. Eu sei que, quando estou em conexão com a minha essência, eu sou o melhor que posso ser. Eu escolho ser o Melhor que eu posso ser, eu escolho viver a missão da minha alma. (LEIA 3 X)

∴ *RESPIRE TRÊS VEZES PROFUNDAMENTE, SENTINDO OS PULMÕES SE EXPANDIREM.*

B) Dando suaves "palmadinhas" no centro do seu peito com a sua mão dominante, diga: Eu ativo a verdade da minha alma, eu ativo o poder de criador da minha realidade, eu ativo o meu Eu Superior, eu desperto para o meu propósito. (LEIA 3 X)

∴ *RESPIRE TRÊS VEZES PROFUNDAMENTE, SENTINDO OS PULMÕES SE EXPANDIREM.*

C) Diga: As três coisas, pessoas ou situações que eu preciso dedicar mais amor são... (diga as coisas, pessoas ou situações). (LEIA 3 X)

∴ *RESPIRE TRÊS VEZES PROFUNDAMENTE, SENTINDO OS PULMÕES SE EXPANDIREM.*

D) Diga: As três coisas pelas quais eu sou mais grata(o) na vida são... (Fale três coisas) (LEIA 3 X)

ATENÇÃO: JAMAIS REPITA AS TRÊS QUESTÕES DE GRATIDÃO NO DIA POSTERIOR, OU SEJA, VOCÊ PRECISAR LEMBRAR-SE DE FATOS NOVOS DIARIAMENTE.

Indefinidamente você precisará encontrar diariamente três novas coisas, pessoas ou situações em que sinta profunda gratidão. Nunca repita!

Agora é com você! Faça bem feita a sua parte e dê início ao processo de ativação do primeiro fluxo.

O QUE VOCÊ VAI NOTAR EM CADA ETAPA DO EXERCÍCIO DO 1º FLUXO.

- *A partir do primeiro dia, você sentirá mais paz de espírito e mais alegria de forma gratuita e natural.*
- *A partir do terceiro dia, você sentirá que o seu mundo está mudando. Você verá tudo de forma mais crítica e é provável que se sinta um pouco rebelde com as pessoas e situações ao seu redor.*
- *No sétimo dia, você sentirá a sua autoestima elevadíssima, e a sua intuição estará lhe guiando para os próximos passos da vida. Você perceberá que tem as respostas dentro de você e que é o líder da sua vida. Sua intuição é um Deus particular agindo como um consultor pessoal para o seu propósito de vida. Você terá os impulsos necessários de motivação para ajustar o que está errado e viver a alegria que a sua alma desabrochou. Aproveite essa energia para entrar no próximo fluxo!*

A SUA PARTE

Agora é a hora de mostrar que você está comprometida(o).

Anote diariamente, em um bloco, caderno ou diário, todas as mudanças positivas que você teve com a ativação do 1º FLUXO (DO PROPÓSITO).

De preferência, coloque o seu comentário no nosso site. Faça um vídeo, suba em seu canal do YouTube e depois nos envie o link para o grupo do site www.asuamissao.com.br (se você ainda não tiver um canal, crie a sua conta, pois é muito simples), assim poderemos usar o seu exemplo para inspirar mais pessoas.

Então até o 2º FLUXO! Prepare-se, pois nesse novo fluxo você sentirá energias que nem imaginava que existiam ou que eram possíveis agir ao seu favor!

2º FLUXO

A MATRIZ BÁSICA

2º Passo – Faça por sete dias em seguida, após conclusão do 1º Passo

Este é O FLUXO DA MATRIZ BÁSICA, que diz respeito ao fato de que você é uma consciência muito além do seu corpo físico. O seu corpo físico é importante, mas ele é apenas uma parte pequena de uma consciência muito maior.

Quem você realmente é? De onde você veio? Desde quando você REALMENTE existe? O que acontece quando o corpo físico morre? O que existe é apenas o que os olhos podem ver?

Você é uma consciência espiritual e como tal precisa aprender a comportar-se nessa sintonia. Um peixe vive na água, portanto, se você retirá-lo de seu hábitat, ele simplesmente não resistirá. Tomamos como exemplo o ciclo do fogo. É necessário que exista combustível, comburente e ignição para que a chama aconteça. Se apenas um desses elementos não estiver presente, o fogo simplesmente não acontece.

O exemplo é para mostrar que o ser humano, embora vestido com um corpo físico para a existência terrena, não é de natureza física, e sim espiritual. Por isso, cada ser só conseguirá brilhar com o seu fogo pessoal de magnetismo e realização se ele souber viver plenamente em sintonia com o 2º fluxo.

Preciso lembrá-lo de que não falo defendendo uma ou outra religião, tampouco defendo alguma linha da ciência. As conclusões que exponho nesse trabalho são baseadas em experimentações, atendimento de milhares de consultantes, alunos e com base em toda a pesquisa que fiz para editar e publicar os 12 livros que já escrevi sobre evolução da consciência, missão de alma e espiritualidade.

Falo com base nos resultados que fizeram com que pessoas com as personalidades mais variadas saíssem da depressão, das crises, dos medos, dos problemas com autoestima, problemas nos relacionamentos, dificuldades em realizar projetos, além de problemas de prosperidade, conseguissem transformar sua vida aplicando os conceitos que estou explicando de forma inédita neste livro.

Voltando ao tema central, você só conseguirá ativar esse 2º e essencial fluxo da sua existência se definitivamente se conscientizar de que você é um espírito e, como tal, precisará entender seus mecanismos e suas necessidades.

RESUMIDAMENTE, você só conseguirá abrir o FLUXO DA MATRIZ BÁSICA se souber alimentar o seu espírito.

Antes de lhe passar o exercício dessa etapa, preciso que você me responda algo. Para você responder, será necessário que leia a pergunta, feche os olhos e reflita por uns segundos. Somente depois de refletir, abra os olhos e leia a próxima pergunta e faça o mesmo. Depois de ler e refletir sobre cada uma das questões, então você poderá partir para os exercícios dessa etapa.

1) O que é o seu espírito? (a resposta deve vir de dentro – respire fundo, feche os olhos e reflita)

2) O que alimenta o seu espírito? (a resposta deve vir de dentro – respire fundo, feche os olhos e reflita)

3) O que o seu espírito anda pedindo para você fazer e que você não tem feito? (a resposta deve vir de dentro – respire fundo, feche os olhos e reflita)

4) O que está impedindo-o de expressar a sua espiritualidade com amor e equilíbrio? (a resposta deve vir de dentro – respire fundo, feche os olhos e reflita)

5) O que a intuição representa na sua vida? (a resposta deve vir de dentro – respire fundo, feche os olhos e reflita)

6) Se você morresse hoje, qual o balanço você faria sobre a sua vida? O que você fez bem feito e o que você acha que deveria ter feito diferente?

Agora que refletiu sobre todas as perguntas, você precisa saber sobre alguns comportamentos que alimentam o seu espírito, portanto, se você não os realiza, não conseguirá ativar o fogo magnético da sua consciência.

COMPORTAMENTOS QUE ALIMENTAM O SEU ESPÍRITO:

1- Agradecer pelas bênçãos diariamente: você precisa viver em estado de gratidão por tudo o que tem, por tudo que é, pela natureza ao seu redor. Recomendo que você faça disso uma rotina diária e que se possível até coloque o celular para despertar em determinada hora para que você se concentre em agradecer por 5 minutos.

2- Momentos de silêncio real: você precisará reservar momentos de silêncio absoluto ao menos 10 minutos por dia. Não adianta silenciar o externo e tumultuar o interno. No começo, fazer paradas de silêncio de 10 minutos parecerá impossível, mas com a prática você acaba gostando tanto que não conseguirá mais viver sem. A essas práticas, podemos dar o nome de meditação.

3- Rezar: seu EU espiritual não vive sem a prece. Você precisa rezar todos os dias, porque com essa simples e incrível prática, conseguirá expressar a força do seu espírito e saberá se conectar a campos ilimitados de energia que estão além da compreensão humana. Eu indico que você aplique a Oração Conectada de 4 etapas (acesse em www.ochamadodaluz.com.br).

4- Ler e Estudar: seu espírito cresce à medida que sua consciência cresce. Leia e estude frequente e disciplinadamente temas sobre a evolução do espírito, sobre os grandes seres de luz e amor, sobre a missão de cada um, autoconhecimento e leis espirituais. De preferência, não fique preso a apenas uma ou outra religião, pois os ensinamentos das mais diferentes linhas se complementam, portanto, na minha opinião, trata-se de um desperdício de cultura espiritual você firmar raízes em apenas uma filosofia religiosa.

5- Conviva com pessoas que pensam parecido. Você nunca irá desenvolver a sua espiritualidade e nunca abrirá o segundo fluxo se conviver o tempo todo com pessoas céticas, descrentes ou negativas. Você precisa aprender a lidar bem com essas pessoas que na maioria das vezes estão convivendo intimamente conosco, contudo, você precisará se relacionar o máximo de tempo possível com pessoas que também buscam um sentido para a vida e que já despertaram ou estão despertando para o 2º fluxo. Participe de grupos que tenham a mesma sintonia que você. Se você não conhece nenhum grupo, que tal começar a organizar você mesma(o)?

EXERCÍCIO PARA ATIVAR O 2º FLUXO

Entenda algo antes de começar: de algum modo, para continuar evoluindo nessa tarefa, você precisará incluir os hábitos acima na sua vida. Resumidamente são eles:

∴ *Exercício diário de gratidão; – Momentos de silêncio real; -Orações diárias; Leitura e estudo constante; – Convívio com pessoas de mesmos objetivos.*

Então entenda que esses hábitos precisam ser buscados por você. Entendendo isso, vamos ao exercício desse segundo fluxo. Mas só comece se você fez no mínimo sete dias do exercício do 1º Fluxo. Uma vez que você se certifique de que fez tudo corretamente, abandone as práticas do 1º e comece as do 2º agora.

O EXERCÍCIO DO 2º FLUXO (sete dias):

1 – Diariamente, de preferência antes do café, leia três vezes cada uma das frases abaixo:

A) Eu sou a minha essência. Eu sou o espírito e a chama divina que vive além dos limites da matéria. Eu reconheço essa força espiritual que há em mim e fico feliz por isso e por reconhecer que sou ilimitado e imperecível em essência.

∴ *RESPIRE TRÊS VEZES PROFUNDAMENTE, SENTINDO OS PULMÕES SE EXPANDIREM.*

B) Dando suaves toques com as pontas dos dedos na parte mais alta da sua cabeça, com a sua mão dominante, diga: Eu reconheço e ativo a minha força espiritual. Eu reconheço essa força que me faz ilimitado. Eu reconheço essa força que me conecta com todas as formas de vida do mundo. Eu me sinto conectado.

∴ *RESPIRE TRÊS VEZES PROFUNDAMENTE, SENTINDO OS PULMÕES SE EXPANDIREM.*

C) **Diga:** Eu sinto a presença das forças extrafísicas de luz, paz e amparo. Eu sinto a força dos meus amigos de luz, eu sinto essa conexão de bênçãos e proteção permitindo que a minha essência espiritual aflore cada vez mais com sabedoria, amor e propósito.

∴ *RESPIRE TRÊS VEZES PROFUNDAMENTE, SENTINDO OS PULMÕES SE EXPANDIREM.*

D) **Diga:** É a força do espírito que promove o amor no mundo. É a força da essência espiritual que me abre os olhos para ver a vida da forma correta. É essa força espiritual de luz e amor que eu convoco agora para ajustar harmoniosamente o rumo da minha vida.

Obrigado, obrigado, obrigado (expresse toda a sua gratidão).

Faça bem feita a sua parte e dê início ao processo de ativação do segundo fluxo para nos encontrarmos em breve para ativação do 3º FLUXO (DA DIREÇÃO) daqui a sete dias.

O QUE VOCÊ VAI NOTAR EM CADA ETAPA DO EXERCÍCIO:

- *Este segundo fluxo é carregado de amor e liberdade, portanto você se sentirá muito bem em todos os dias da prática.*
- *Caso você sinta algum desconforto, isso indicará duas causas possíveis que você poderá resolver rápido:*

1 – Você está fazendo de forma mecânica, sem entrar verdadeiramente no sentimento positivo do processo.

2 – Você está fazendo sem fé.

A SUA PARTE

Agora é a hora de mostrar que você está comprometida(o).

Anote diariamente em um caderno ou diário, todas as mudanças positivas que você teve com a ativação do 2º FLUXO (DO PROPÓSITO).

De preferência, coloque o seu comentário no nosso site. Faça um vídeo, suba em seu canal do YouTube e depois nos envie o link para o grupo do site www.asuamissao.com.br (se você ainda não tiver um canal, crie a sua conta, pois é muito simples) assim poderemos usar o seu exemplo para inspirar mais pessoas.

Então até o 3º FLUXO! Este fluxo vai lhe ensinar a canalizar a sua força na direção certa!

3º FLUXO

A DIREÇÃO

3º Fluxo – Faça por sete dias após a realização do 2º passo

Neste passo, vou falar do terceiro entre os sete fluxos que você precisa abrir para conseguir a mudança que tanto deseja e também para que você consiga uma vida diferenciada ou, como eu gosto de falar: bem acima da média.

Novamente vou explicar-lhe qual fluxo é esse e como fazer exercícios diários para ativá-lo. Mas é muito importante que você tenha realizado, de forma consistente, os passos anteriores, para que possa se equilibrar na sequência correta. Mesmo que tenha resultados parciais realizando os exercícios dos passos separadamente, para você construir uma transformação significativa, precisará acessar essa abertura de fluxo na sequência que recomendo, pois tudo que apresento é baseado em mais de 10 anos de estudos, em pesquisas e na aplicação prática com milhares de consultantes de atendimentos presenciais e dos milhares de alunos para os quais já ministrei cursos e que aplicam o método. Se você está seguindo a sequência corretamente, então vamos em frente. Se você não estiver, simplesmente comece do primeiro passo.

Antes de continuar, eu preciso contar-lhe uma conversa que tive com um conhecido meu. Essa pessoa, apesar de ser alguém que conheça, não é muito íntima.

Ele chegou a fazer os nossos cursos (Luz da Serra) e a ler os livros, mas acabou deixando de lado e parou de persistir em seu próprio caminho para encontrar a missão de sua alma.

Posso lhe afirmar que ele simplesmente achava tudo isso que ensino uma grande bobeira. Confesso que nunca me magoei, mas também nunca me abalei com a opinião dele e simplesmente continuei fazendo a minha parte, palestrando muito, escrevendo muitos livros e atuando como professor.

Só que o tempo foi passando e um dia desses encontrei-me com ele novamente. Já fazia mais de cinco anos que não nos víamos. O fato é que ele tomou um choque quando me viu, quando viu meu carro, minha aparência, as pessoas que estavam comigo e a estrutura incrível do Luz da Serra (instituição da qual sou cofundador).

Então, ele me disse:

"Cara!!! Como é que você fez para mudar tantas coisas assim? Você está com esse carrão, emagreceu, está feliz, bem-casado, e o Luz da Serra cresceu desse jeito! Eu estou impressionado!".

"Eu fico muito feliz que você ache isso, fulano", foi o que eu disse imediatamente.

Então, ele fez a pergunta para qual eu já tinha a resposta pronta:

"O que foi que você fez para conseguir essa mudança incrível? Conte-me...".

E eu dei a resposta que mais gosto de dar:

"É simples... Eu só estou aplicando em minha vida aquilo que ensino em meus livros, cursos e palestras, que é: encontre a missão da sua alma, que a saúde, a felicidade e a prosperidade encontrarão você!".

Ele ficou com uma cara de bobo me olhando. Não tem segredo! O sábio é aquele que sabe aprender e que usa o que sabe!

E eu contei essa história porque muitas pessoas podem olhar os sete passos deste livro e dizer: "Ah! Isso eu já fiz e não funciona" ou "Isso eu já conheço" ou ainda "Esses livros não são confiáveis".

Sobre isso eu gostaria de dizer-lhe algumas coisas.

Eu quero ser honesto e dizer que estou ensinando o conteúdo de um curso presencial em um livro, como forma de agradecer a Deus e à vida pelo número enorme de ganhos que tenho recebido nos últimos anos. Contudo, um curso com o teor deste livro, feito de forma on-line, em plataforma de estudo a distância (EAD), custa cerca de U$ 1.500,00. A única diferença é que os conteúdos são oferecidos na forma de videoaulas e que existem tutoriais e plantões de dúvidas constantes e ainda alguns cursos complementares. Por isso eu peço que você valorize este livro como se estivesse pagando essa quantia. E, para finalizar esse item, lhe adianto que, mesmo que você estivesse pagando essa quantia, ainda assim estaria achando que foi seu melhor investimento, porque simplesmente dá resultado!!!

Faça a sua parte! Sei que todos que pedem ajuda só a pedem porque estão em uma situação ruim. Mas acredite: só existe uma pessoa capaz de realizar a missão da sua alma – você! Ninguém mais neste mundo fará essa tarefa por você!

Você é o único mensageiro da sua missão! Por isso, dedique-se, entregue-se, pois são apenas alguns exercícios diários.

Eu espero que você esteja com o comprometimento necessário, porque, sem ele, não vai chegar a lugar algum.

O 3º FLUXO E COMO ATIVÁ-LO

Este é O FLUXO DA DIREÇÃO e diz respeito ao fato de que você é uma consciência acoplada a um corpo físico, e sua matriz básica é um campo de energia. E, por ser um campo de energia, para que viva em harmonia com seu corpo físico, com sua vida e com seu propósito, ela precisa estar direcionada.

Para resumir, entenda que sua mente é um campo de energia que está em seu campo de consciência. Apenas para facilitar, podemos dizer que sua consciência (não estou falando de mente consciente) e sua mente são uma coisa só.

Sua consciência está presente em sua aura e, para que ela seja codificada e organizada para seu corpo e para sua vida física, você precisa do seu corpo físico e, em especial, do seu cérebro. Seu cérebro não é sua mente, mas é o codificador dela. Assim como o rádio que você ouve não é a música, mas apenas um transmissor da música.

Querendo você ou não, achando ou não achando, acreditando em Deus ou não, amando ou odiando, tendo fé ou descrença, sua mente é um campo de energia que é acionado por seu cérebro, por suas emoções e por seus sentimentos. Em outras palavras, não há como cessar a movimentação energética proveniente da sua consciência que se magnetiza ao redor do seu corpo físico, condensando-se desde camadas mais densas, que formam o corpo físico, até as mais sutis, que formam o corpo espiritual.

Então, eu peço que você pense em sua existência como um conjunto de forças físicas e extrafísicas alimentadas por sua Matriz Básica (2º Fluxo). Mas da mesma forma que o fogo pode estar completamente sem controle, incendiando ferozmente uma floresta, ele pode ser acendido silenciosamente para aquecer a água que fará seu chá na cozinha de sua casa.

E isso é possível porque em sua casa o gás foi controlado, o fogo foi controlado e seu acendimento e seu término são feitos quando você quiser.

Então, qual é o segredo para abrir e controlar o 3º Fluxo? Dar direção à energia que sai da sua consciência.

E, na prática, isso quer dizer:

- *Canalizar a energia dos seus pensamentos e sentimentos para um propósito de vida. E esse propósito de vida, seja qual for, de forma direta ou indireta precisa ajudar você a evoluir e outras pessoas também. Esse propósito não pode gerar sofrimento para você, para outros seres ou para o planeta.*

- *Ter metas bem claras e objetivas, sendo no mínimo três e no máximo oito.*

- *Aniquilar a reclamação, o vício no pensamento pessimista, a maledicência e a futilidade, o que significa gastar palavras, sentimentos, emoções com coisas, situações e acontecimentos que não tenham qualquer serventia para aumentar o amor, a felicidade e a harmonia entre os seres e no planeta.*

Eu sei que tudo isso é assustador por ser tão desafiador; afinal, mexe com nossos hábitos mais comuns. Ocorre que só o fato de você começar a prestar atenção nos três itens anteriores já fará com que esse 3º Fluxo comece a ser ativado.

OS MAIORES ERROS DAS PESSOAS:

- *Canalizam suas energias para os outros, priorizando o cuidado com filhos, marido, esposa, netos, acima da sua própria vida e, com isso, saem do eixo energético.*
- *Vivem na futilidade, pagando suas contas, vivendo dignamente na mediocridade (no sentido de vida mediana), mas sem propósitos que façam o coração pulsar mais feliz.*
- *São viciadas em reclamar.*
- *Não têm metas ousadas e desconfortantes.*

Esse último item eu preciso explicar melhor.

A meta desconfortante é aquela que lhe tira de uma zona de conforto, gerando movimento, incertezas e necessidade de superação. Ela deixa sua consciência em estado de alerta e, por isso, convoca grande quantidade de energias, as quais poderiam estar adormecidas ou desorganizadas em seu campo emocional, orientadas para gerar conflitos e desarmonias. Portanto, você precisa criar constantemente metas que gerem desconforto positivo.

Se você comete um ou mais dos erros citados acima, você está comprometendo o rumo da sua vida e a realização da missão da sua alma.

Eu posso garantir que se você aplicou bem os exercícios das partes 1 e 2 deste curso, você certamente está em um caminho melhor e mais significativo.

EXERCÍCIO PARA ATIVAR O 3º FLUXO

Entenda algo antes de começar. De algum modo, para continuar evoluindo nessa jornada, você precisará incluir os hábitos que eu citei no 1º e 2º Passos (Fluxos).

Resumidamente são eles:

∴ *Exercício diário de gratidão; – Momentos de silêncio real; – Orações diárias; – Leitura e estudo constante; – Convívio com pessoas com mesmo objetivo e mais as práticas desse 3º Fluxo.*

Então, entenda que esses hábitos precisam ser buscados por você. Compreendendo isso, vamos ao exercício desse 3º Fluxo. Mas só comece se você fez no mínimo 21 dias do exercício de cada Fluxo anterior. Uma vez que você se certifique de que fez tudo corretamente, abandone as práticas do 2º e comece as do 3º agora.

O EXERCÍCIO DO 3º FLUXO (sete dias):

1 – Diariamente, de preferência antes do café, leia três vezes cada uma das frases abaixo:

A) "Eu sou a consciência guiada para a felicidade e para o amor. Eu me realizo servindo ao meu propósito divino. Eu me abro para meu propósito. Eu considero que viver com o propósito que me foi originalmente concedido é o caminho para minha plenitude e para eu fazer a diferença positiva no mundo."

∴ **RESPIRE TRÊS VEZES PROFUNDAMENTE, SENTINDO OS PULMÕES SE EXPANDIREM.**

B) Dando suaves toques com as pontas dos dedos na parte mais alta da sua cabeça, com sua mão dominante, diga: **"Eu reconheço e ativo meu propósito espiritual, mental, emocional e material. Eu reconheço a força da minha programação interior. Eu me sinto conectado".**

∴ **RESPIRE TRÊS VEZES PROFUNDAMENTE, SENTINDO OS PULMÕES SE EXPANDIREM.**

C) Diga suas três metas pessoais.

ATENÇÃO:

Diga suas metas pessoais sem conter qualquer tipo de palavras, sentimentos ou ideias negativas, mas apenas a meta em estado realizado, como, por exemplo: curado, com casamento perfeito, cura da perna direita, falando francês, com a casa dos meus sonhos, com a formação em Engenharia, viajando o mundo etc.

O que você **não** pode usar é: curar a síndrome do pânico, resolver os problemas da minha família, que meus filhos parem de brigar, que a pobreza vá embora, que a dor desapareça. Nesse segundo exemplo eu citei formas de NÃO FAZER!

Agora que você entendeu como devem ser suas metas, RESPIRE TRÊS VEZES PROFUNDAMENTE, SENTINDO OS PULMÕES SE EXPANDIREM, e:

Cite aqui sua meta ousada nº 1; depois, feche os olhos e entregue-se a visualizar sua meta, a sentir e acreditar, formando um filme em sua mente, como se já estivesse realizada. Faça a mentalização por no mínimo 68 segundos. Agora, abra os olhos e siga para a meta dois.

_____
_____
_____
_____

Cite aqui sua meta ousada nº 2; depois, feche os olhos e entregue-se a visualizar sua meta, a sentir e acreditar, formando um filme em sua mente, como se já estivesse realizada. Faça a mentalização por no mínimo 68 segundos. Agora, abra os olhos e siga para a meta três.

_____
_____
_____
_____

Cite aqui sua meta ousada nº 3; depois, feche os olhos e entregue-se a visualizar sua meta, a sentir e acreditar, formando um filme em sua mente, como se já estivesse realizada. Faça a mentalização por no mínimo 68 segundos. Agora, abra os olhos e comece seu dia com alegria e gratidão.

_____
_____
_____
_____

O QUE VOCÊ VAI NOTAR EM CADA ETAPA DO EXERCÍCIO

Esse 3º Fluxo é carregado de força e autoestima; portanto, você sentirá muita disposição e otimismo, e certamente contagiará mais pessoas.

Caso sinta algum desconforto, isso indicará três causas possíveis que você poderá resolver rapidamente:

1 – Você está fazendo de forma mecânica, sem entrar verdadeiramente no sentimento positivo do processo.

2 – Você está fazendo sem acreditar que pode.

3 – Você está se entregando à futilidade do dia a dia.

Se você sentir algum sentimento ruim, apenas elimine esses comportamentos citados anteriormente e certamente se sentirá melhor em no máximo 48 horas – não falha!

A SUA PARTE

Agora é a hora de mostrar que você está comprometida(o).

Anote todos os dias, em um diário, todas as mudanças positivas que você teve com a ativação do 3º Passo (FLUXO DA DIREÇÃO) e com o seu progresso até aqui.

De preferência, coloque o seu comentário no nosso site. Faça um vídeo, suba em seu canal do YouTube e depois nos envie o link para o grupo do site www.asuamissao.com.br (se você ainda não tiver um canal, crie a sua conta, pois é muito simples) assim poderemos usar o seu exemplo para inspirar mais pessoas.

Então até o 4º FLUXO em que você começará a sentir que é uma pessoa impactante, de sucesso e com propósito. Nesse fluxo, seus olhos começarão a brilhar de uma forma muito mais intensa e significativa.

4º FLUXO

O HÁBITO

4º Fluxo – Faça por sete dias após a realização do 3º passo

Antes de começar a explicar o 4º fluxo, eu preciso contar-lhe algo que aconteceu comigo um tempo atrás. Era o ano de 2006 e eu viajava com a Patrícia Cândido (minha amiga e sócia no Luz da Serra) para ministrar uma série de palestras, inclusive para promover o lançamento dos meus dois primeiros livros, *Fitoenergética* e *Decisões – Encontrando a missão da sua alma*.

Quando chegamos à cidade, a pessoa que nos recebeu e organizou nossos eventos já nos esperava para uma entrevista com a editora chefe de um jornal local, pois ela queria fechar com urgência a edição da semana, incluindo a matéria em que eu seria entrevistado.

Naquele momento, a repórter fez perguntas sobre os dois livros. Ela me perguntou como eu tinha estudado o tema da Fitoenergética e como eu tinha desenvolvido essa técnica inédita no mundo. Eu contei detalhadamente a minha história, a pesquisa, os estudos para comprovar os efeitos da energia das plantas no equilíbrio da alma e muito mais. Ela ficou impressionada com a profundidade do assunto e das minhas descobertas no campo da medicina vibracional e da terapia holística.

Eu estava feliz, ela também, e um clima de descontração tomava conta do ambiente. Para finalizar a conversa, ela me perguntou:

– Qual foi a sua atitude diferenciada para conseguir escrever um livro sobre uma terapia inédita no mundo?

– Disciplina, organização, foco e sintonia com a minha essência espiritual. Eu ouvi um chamado interno e me dediquei a segui-lo. Foi o que eu respondi a ela.

Ela me ouviu, respirou fundo com serenidade nos olhos, aguardou alguns segundos enquanto pensava sobre a minha resposta e logo me perguntou:

– E qual foi a sua atitude diferenciada para conseguir escrever um livro como *Decisões – Encontrando a missão da sua lma*, e conseguir fazer com que a primeira edição tenha sido vendida em 90 dias?

–Ah, essa é fácil! Simplesmente aplicando o que eu ensino no primeiro livro. Dessa vez eu respondi rindo como uma criança arteira.

Mas o fato de eu ter rido na resposta que dei para a repórter foi porque, no mesmo momento em que eu respondia a pergunta dela, eu estava me dando conta do poder do hábito... Sim, foi o hábito que eu adquiri em fazer as técnicas que eu ensino na Fitoenergética que mudou tudo em mim. Ao aplicar continuamente os tratamentos fitoenergéticos para despertar a minha missão e para elevar a minha consciência, criei uma rotina para a minha mente. E foi essa rotina que me preparou para o sucesso que estava por vir.

Naquela conversa agradável que tive ao ser entrevistado pela repórter, dei-me conta de que somente quando abri o Fluxo do Hábito eu comecei a expressar resultados diferenciados na minha vida. Mas descobri também que você deve ativar esse fluxo na sua vida na hora certa, ou seja, somente depois de ativar os fluxos: Propósito (1º), Matriz Básica (2º) e Direção (3º). Isso porque você deve aprender a ativar o seu 4º Fluxo para que ele melhore a sua vida, mas, se você ativá-lo da forma errada, sem os exercícios anteriores, você poderá programar a sua energia para algo que não vai realmente alavancar a sua vida na direção certa.

SOBRE O 4º FLUXO – O FLUXO DO HÁBITO E COMO ATIVÁ-LO

A recomendação mais importante é que você não deve seguir este curso se não aplicou os ensinamentos dos Fluxos anteriores, porque simplesmente o método não funcionará.

Certificando-se de que você vem aplicando os passos anteriores corretamente, vamos em frente!

É IMPORTANTE VOCÊ SABER QUE:

1 – Ao praticar as lições dos Fluxos anteriores, você já está automaticamente abrindo este 4º Fluxo, porque todos eles envolvem a criação de hábitos.

2 – O seu cérebro (a parte física) faz de tudo para economizar energia, por isso, sempre que você começa a inventar algo, seja uma atitude, um comportamento ou jeito novo de viver, você tenderá a construir rotinas. Quando essas novidades surgem pela primeira vez, o seu cérebro consome grande quantidade de energia e fica em total estado de alerta. Mas, aos poucos, ele faz de tudo para conseguir encaixar as suas novas atitudes em um padrão de comportamento. O cérebro também procura fazer com que você em vez de utilizar um caminho novo, utilize um velho já conhecido por ele, e é aí que os desafios começam, pois você sempre será estimulado ao comodismo e à repetição daquilo que já faz.

3 – A construção de um novo hábito leva tempo e dá trabalho.

4 – Mais de 75% das coisas que fazemos diariamente não são decisões conscientes, mas ações habituais geradas no modo "piloto automático".

5 – Quando um hábito está instalado, você terá dificuldade em ficar consciente e atento para o que está fazendo e, sem perceber, agirá no impulso ou de forma mecânica.

Conclusão:

- *Criar um hábito é difícil;*
- *Mudar um hábito é difícil;*
- *Ter hábitos negativos prejudica muito a sua vida;*
- *Ter hábitos positivos facilita muito a sua vida.*

E a principal entre as conclusões:

Você não pode evitar que os hábitos sejam construídos na sua vida, mas você pode construí-los para que sejam sintonizados com o seu propósito, com a verdade da sua alma, com as suas realizações e com o bem-estar pessoal e coletivo. Portanto, o segredo para a ativação deste fluxo é saber programar quais hábitos você quer construir e começar a fazer a sua parte agora.

Para isso, eu selecionei um combinado de práticas dos fluxos anteriores para que você comece a melhorar ainda mais os seus resultados.

Essa nova sequência de exercícios deve ser feita continuamente por sete dias. Então, se você já terminou os exercícios dos demais fluxos, você pode deixá-los de lado agora e se dedicar somente a essas tarefas citadas abaixo. Vamos a elas:

Diariamente, de preferência antes do café, leia três vezes cada uma das frases a seguir:

A) Eu tenho um propósito de vida. Eu escolho viver acordado para as verdades da minha alma, Eu escolho viver a minha essência. Eu acredito na força do meu propósito. Eu escolho ser o melhor que eu posso ser, eu escolho viver a missão da minha alma. (LEIA 3 X)

∴ **RESPIRE TRÊS VEZES PROFUNDAMENTE, SENTINDO OS PULMÕES SE EXPANDIREM.**

B) Dando suaves "palmadinhas" no centro do seu peito com a sua mão dominante, diga:

Eu ativo a verdade da minha alma, eu ativo o poder de criador da minha realidade, eu ativo o meu Eu Superior. Eu reconheço e ativo a minha força espiritual. Eu me sinto conectado. (LEIA 3 X)

Agora é sobre as suas metas:

Visualize a sua meta ousada número 1 por aproximadamente um minuto. Abra os olhos respire e depois faça o mesmo para a meta ousada número 2. Novamente abra os olhos respire e visualize a meta ousada número 3. Essas metas foram explicadas no Fluxo da Direção. Se você ficou em dúvida, volte na lição do 3º Fluxo e revise.

Essas são as tarefas mistas deste módulo, mas lembre-se de que você deve buscar insistentemente um estilo de vida que também contemple esses elementos que já falei anteriormente, mas precisa recordá-los novamente abaixo:

1- Agradecer pelas bênçãos diariamente: você precisa viver em estado de gratidão por tudo que tem, por tudo que é, pela natureza ao seu redor. Eu recomendo que você faça disso uma rotina diária e que se possível até coloque o celular para despertar em determinada hora para que você se concentre em agradecer por 5 minutos.

2- Momentos de silêncio real: você precisará reservar momentos de silêncio absoluto ao menos 10 minutos por dia. Não adianta silenciar o externo e tumultuar o interno. No começo, fazer paradas de silêncio de 10 minutos parecerá impossível, mas com a prática você acaba gostando tanto que não conseguirá mais viver sem. A essas práticas, podemos dar o nome de meditação.

3- Rezar: seu EU espiritual não vive sem a prece. Você precisa rezar todos os dias, porque com essa simples e incrível prática, conseguirá expressar a força do seu espírito e saberá se conectar a campos ilimitados de energia que estão além da compreensão humana. Eu indico que você aplique a Oração Conectada de 4 etapas, disponível em www.ochamadoluz.com.br.

4- Ler e Estudar: seu espírito cresce à medida que a sua consciência cresce. Leia e estude frequente e disciplinadamente temas sobre a evolução do espírito, sobre os grandes seres de luz e amor, sobre a missão de cada um, autoconhecimento e leis espirituais. De preferência, não fique preso a apenas uma ou outra religião, pois os ensinamentos das mais diferentes linhas se complementam, portanto, na minha opinião trata-se de um desperdício de cultura espiritual você firmar raízes em apenas uma filosofia religiosa.

5- Conviva com pessoas que pensam parecido. Você nunca irá desenvolver a sua espiritualidade e nunca abrirá o 4º fluxo se conviver o tempo todo com pessoas céticas, descrentes ou negativas. Você precisa aprender a lidar bem com essas pessoas que na maioria das vezes estão convivendo intimamente conosco, contudo, você precisará se relacionar o máximo de tempo possível com pessoas que também buscam um sentido para a vida e que já despertaram ou estão despertando para uma vida com propósito. Participe de grupos que tenham a mesma sintonia que você. Se você não conhece nenhum grupo, que tal começar a organizar você mesma(o)?

O QUE VOCÊ VAI NOTAR NESTE FLUXO

- *Este 4º Fluxo é carregado de desafios, porque você não sentirá mal-estar mas perceberá que hábitos antigos farão de tudo para boicotar a sua evolução. Fique atento(a) a esse autoboicote e você vencerá esses desafios.*

- *Você poderá se perceber querendo desistir ou querendo mudar de foco. Não se engane, esse é um movimento silencioso dos seus hábitos antigos.*

- *Tenha muito foco no que você quer e seja objetivo. Mantenha a consistência.*

- *No fim da semana, você sentirá mais energia e principalmente mais clareza nos pensamentos. De uma forma surpreendente, a sua criatividade e a consciência sobre a sua vida e as coisas ao seu redor ficará muito ampliada.*

∴ *Jamais faça os exercícios de forma mecânica ou sem fé. Esvazie a mente de preocupações e distrações quando aplicar as afirmações e quando visualizar as suas metas.*

A SUA PARTE

Agora é a hora de mostrar que você está comprometida(o).

Anote todos os dias, em um diário, todas as mudanças positivas que você teve com a ativação do 4º Passo (FLUXO do Hábito) e com o seu progresso até aqui.

De preferência, coloque o seu comentário no nosso site. Faça um vídeo, suba em seu canal do YouTube e depois nos envie o link para o grupo do site www.asuamissao.com.br (se você ainda não tiver um canal, crie a sua conta, pois é muito simples) assim poderemos usar o seu exemplo para inspirar mais pessoas.

Então até o 5º FLUXO!

5º FLUXO

A UNIÃO

5º Passo - Faça por sete dias após a conclusão do 4º passo.

Eu desejo que tudo ande bem até aqui e que você esteja abrindo plenamente os fluxos 1, 2, 3 e 4, porque, dessa forma, os seus resultados com o 5º fluxo serão muito tranquilos e naturais.

Neste fluxo, vou mostrar-lhe o que vai causar um impacto positivo em sua vida, algo nunca antes imaginado. Você terá condições de fazer mudanças profundas e, mesmo assim, carregadas de harmonia.

Mas é muito importante que você faça bem feita a sua parte com os fluxos anteriores.

Este fluxo é muito importante porque é um dos que tem mais capacidade de abrir, ou melhor dizendo, expandir o fluxo da matriz básica. E quando isso acontece, você se torna realmente mais poderoso(a), mais magnético(a) e eleva muito a sua autoestima.

SOBRE O 5º FLUXO E COMO ATIVÁ-LO

Este é o **Fluxo da União**. De forma resumida ele quer que você saiba:

1- Só ser bonzinho, pagar as suas contas e seguir a lei como um bom cidadão não resolve os problemas do mundo. É preciso mais!

2 - Ninguém pode ser feliz sozinho, isolando-se do mundo e achando que o problema do outro não é o seu problema.

3 - Mesmo que ajudar seja uma tarefa nobre, você precisa saber o que faz. Ajudar errado é ainda pior do que não fazer nada! Mesmo assim, você precisa aprender a ajudar da forma certa, o que quer dizer que você precisará desvendar os mistérios de saber ajudar quem precisa, respeitando as leis naturais envolvidas.

DA MISSÃO GENÉRICA NA TERRA

1 - Eliminar as inferioridades, que são emoções, pensamentos e atitudes negativas.

2 - Harmonizar-se com outras pessoas.

3 - Gerar bons exemplos.

Perceba que esse fluxo está relacionado às três principais missões do ser humano na Terra.

A CILADA

Se, por um lado, ajudar é uma necessidade, o maior desafio é ter certeza de que a sua ajuda não vai prejudicar os aprendizados que uma pessoa precisa ter.

Para isso, você precisa entender que tudo é energia neste planeta. E cada situação é um campo de energia. Uma dificuldade que alguém tenha é um campo de energia. Uma superação de limites também é.

Quando uma pessoa está sofrendo com algo em sua vida, ela está envolvida por um campo de energia específico. Esse campo de energia interage com outros campos de outras pessoas e situações. Tudo está interligado!

Dessa forma, qualquer coisa que acontece com uma pessoa repercute energeticamente com grande intensidade nas pessoas mais próximas a ela, e com um pouco menos de intensidade com as pessoas que estão próximas a outras, e assim por diante em uma espécie de efeito dominó.

Quando você oferece ajuda para qualquer pessoa ou situação, a sua atitude afeta positivamente todo o campo de energia da pessoa e das demais que estão ligadas a ela.

O que você precisa saber é se o que você vai fazer para aquele indivíduo vai realmente ajudá-lo ou vai atrapalhar ainda mais o seu campo de energia, ou como costumamos dizer, o seu campo de sofrimento.

O SEU PAPEL

Neste fluxo, você terá sucesso se souber qual é o seu papel. Deixe-me explicar com exemplos práticos.

1) Vamos supor que você é mãe de dois filhos e é casada. Vocês vivem como uma família normal. Acontece que, sempre que o seu marido precisa tomar alguma atitude de pai em relação aos filhos, ele acaba negligenciando. Você vê a situação e, para que as coisas fiquem em harmonia, acaba tomando a dianteira da situação e tendo a atitude que se esperaria de um pai consciente. Em outras palavras, acaba agindo no lugar dele.

Para eliminar a consequência da negligência do Pai, você, que é Mãe, tem uma atitude de pai. Acredite, você agiu errado!

Você pode se questionar neste instante dizendo que, se não fizesse o que fez, seus filhos ficariam prejudicados. O que quero dizer-lhe é chocante, mas é real: eles já foram prejudicados!

Por quem?

Por você mesma...

Sim, é isso mesmo!! Você prejudicou seu papel de Mãe, quando, de alguma forma, quis compensar a falta no papel de pai...

De alguma forma, quando assume um papel que não é o seu, você pode até dar a impressão de que compensou a falha naquele "posto" de pai. Só que isso fez com que você saísse do seu lugar de mãe e criasse uma oscilação no campo de consequências energéticas no papel de mãe.

Porque assim você evitou que os seus filhos tivessem o aprendizado necessário que a negligência do pai geraria. Você agiu com o pensamento de fazer de tudo para que os seus filhos não sofressem... E isso fez com que você saísse do seu lugar de mãe... Sair do lugar de mãe abalou o campo de energia de Mãe.

Você que é mãe, precisa fazer o seu melhor como mãe. É só isso que cabe a você. Se agir como pai, filha ou irmã, você irá:

A) Tomar o lugar de outra pessoa no campo energético da situação.

B) Afetar o seu lugar no campo energético.

Qualquer uma das duas situações abalará negativamente o campo de energia da questão, o seu campo de energia e de todas as pessoas envolvidas.

2) Vamos supor que você é uma jovem de 19 anos que mora com a sua mãe. Você mora com a sua mãe porque seus pais se separaram quando você tinha 12 anos.

O tempo foi passando e hoje você já é uma mulher, adulta e "dona do seu nariz".

Mas você continua morando com a sua mãe que nunca mais se casou. Embora você já seja independente, também não está namorando ou casada.

Como a sua mãe ficou sozinha, você assumiu muitas tarefas. O fato é que você acabou se sentindo responsável por garantir que a sua mãe fique bem e agora você é a pessoa que mais toma decisões por vocês duas.

Você cuida mais da sua mãe do que ela de você.

Além do mais, como ela é solteira e você também, adquiriram o costume de dormir juntas na mesma cama de casal.

Tudo isso parece normal e até inocente, mas guarda uma consequência terrível para o campo de energia de cada uma das pessoas.

A filha está saindo do papel de filha e assumindo o papel de pai. A mãe saiu do papel de Mãe e assumiu o papel de filha, e as vezes de irmã.

Com isso, o campo de energia da mãe assumiu consequências e o da filha também. E o fato de dormirem juntas faz com que nenhuma delas consiga arrumar um namorado ou marido, porque o lugar de namorado ou marido já está ocupado pelo ponto de vista do campo de energia. E como a relação de mãe x filha está trocada, uma se sente mais infantil e mais insegura, enquanto a outra se sente responsável pela situação e arca com o comprometimento de ser o mantenedor da casa, da mãe e de ter que solucionar todos os problemas.

Então eu lhe pergunto: Como resolver isso?

A filha, precisa fazer papel de filha e pronto!

A mãe, precisa fazer papel de mãe e pronto!

Somente dessa forma a harmonia das coisas começará a transformar a realidade das duas.

3) Suponha que você tem um irmão que está sempre com problemas financeiros. Ele sempre foi muito ingênuo e até irresponsável com dinheiro e, por isso, mais uma vez ele está em apuros. Agora, pela vigésima vez, ele veio lhe pedir socorro para não ser despejado da casa em que mora e que está com o aluguel atrasado.

Você sente a dor da situação e, como tem condições financeiras boas, pois você sabe muito bem como se organizar nessa área de sua vida, decide que não é certo deixar o seu irmão desamparado e lhe oferece novamente o dinheiro, mesmo que ele não tenha pagado nenhum dos 19 empréstimos anteriores.

Só que, quando você oferece o dinheiro, está ajudando de forma errada. Isso porque ele precisaria sentir a dor do despejo, pois, no sistema energético que é a situação, o despejo seria a consequência que levaria ao aprendizado e ao sofrimento necessário para ele aprender realmente a mudar de atitude.

Mas, como você é parente próximo, não consegue conviver com a culpa de não ajudá-lo. Tem pena dele, acha que ele é um coitado!

Dessa forma, você desequilibra o campo de energia que estava buscando uma compensação para ajudá-lo a melhorar. Mas a sua atitude desequilibra o campo de força do sistema e a consequência volta para você, mesmo que não perceba, em forma de sofrimento.

Eu poderia citar mais outros casos, no entanto eu quero que você perceba o poder da consequência de um ato errado. Você não pode simplesmente ajudar, mas precisa medir muito bem qual é a consequência que os seus atos vão gerar.

No caso 1, a negligência do Pai é responsabilidade única do Pai, e a dor só pode ser sentida pelos filhos. Quem mudar isso vai desequilibrar o sistema.

No caso 2, cada um precisa viver o seu papel. Quem quiser viver um papel que não é o seu vai sofrer por isso e afetará todos à sua volta.

No caso 3, um ato de ajuda errada poderá fazer com que a harmonia não se estabeleça. A tentativa inicial da irmã em não fazer o irmão sofrer só ampliará e propagará mais sofrimento ao campo energético do problema, porque as compensações seguirão acontecendo.

Qual é o maior aprendizado e a forma de lidar com tudo isso?

Use o mantra máximo para todas as situações da sua vida, que é:

EU ESTOU NO MEU PAPEL?

Se você for chefe de uma equipe e estiver tomando alguma atitude para mudar as coisas, pergunte-se: Eu estou no meu papel de chefe? Eu estou agindo certo de acordo com o meu papel?

Se a resposta for sim, siga com confiança. Se a resposta for não, modifique-se, reinvente-se!

Por exemplo, você está no meio de uma reunião familiar, e o seu filho de 45 anos está repreendendo o seu neto de 14.

Então você se intromete na situação e diz ao seu filho que ele não deve ser tão duro assim com o adolescente.

Pergunte-se: Eu estou no meu papel? Eu estou agindo certo de acordo com o meu papel? Ou eu estou invadindo um outro papel, ou seja, saindo do meu lugar no campo de energia para tomar conta de outro que não me pertence?

Se a resposta for sim, siga com confiança. Se a resposta for não, modifique-se, reinvente-se!

OS ERROS MAIS COMUNS NA VIDA QUE AFETAM BRUSCAMENTE O FLUXO DA UNIÃO

- *Fazer o que o outro deveria fazer só porque ele é ineficiente ou porque você acha que faz melhor do que ele.*
- *Tomar a atitude de pai sem ser pai, tomar a atitude de mãe sem ser mãe, tomar a atitude de chefe, sem ser chefe, tomar a atitude de ser professor sem ser professor.*
- *Não honrar quem veio primeiro (em tempo ou idade) e não respeitar o papel de cada um.*
- *Não importa se o seu pai é ausente, se ele fez mal a você e a sua família, você precisa honrar (em pensamento e sentimento) o fato de que ele é seu pai, e lhe deu a vida.*
- *Não importa se você não suporta o seu irmão mais velho, mas você precisa honrá-lo (em pensamento e sentimento) porque ele veio antes.*
- *Você precisa respeitar as bases de uma estrutura e respeitar e honrar o papel de cada um, ainda que não concorde com os atos de cada um, precisará honrá-los (em pensamento e sentimento).*

O SEU TEMA DE CASA PARA ABRIR O FLUXO DA UNIÃO

Quando você faz algo por alguém, essa sua ação vai repercutir de que forma em todo o campo de energia ao qual esse alguém está inserido?

Vamos direto ao ponto.

(Agora você precisa escrever se quiser realizar as tarefas para ativar este fluxo.)

Responda:

1- QUEM VOCÊ AJUDA NO MUNDO?

Escreva detalhadamente. Enfatize as principais na sua opinião, ou seja, não anote mais do que 10, pois o que interessa são aquelas pessoas com quem você se importa mais.

_____
_____
_____
_____
_____

Pergunte-se sobre esse item: Eu estou no meu lugar? Eu estou cumprindo devidamente o meu papel?

Se a sua resposta for sim, siga em frente, se for não, modifique-se, reinvente-se!

_____
_____
_____
_____

2 – POR QUE VOCÊ AJUDA ESSA OU ESSAS PESSOAS, ENTIDADES OU SITUAÇÕES?

Pergunte-se sobre esse item: Eu estou no meu lugar? Eu estou cumprindo devidamente o meu papel?

Se a sua resposta for sim, siga em frente, se for não, modifique-se, reinvente-se!

_____
_____
_____
_____

3 – QUAL É O SENTIMENTO QUE O MOVE A AJUDAR CADA UMA DAS SITUAÇÕES?

Pergunte-se sobre este item: eu estou no meu lugar? Eu estou cumprindo devidamente o meu papel?

Se a sua resposta for sim, siga em frente, se for não, modifique-se, reinvente-se!

_____
_____
_____
_____

4 – QUAL É A CONSEQUÊNCIA ENERGÉTICA QUE A SUA AJUDA ACARRETA EM CADA PESSOA, ENTIDADE OU SITUAÇÃO QUE VOCÊ AJUDA?

Pergunte-se sobre este item: eu estou no meu lugar? Eu estou cumprindo devidamente o meu papel?

Se a sua resposta for sim, siga em frente, se for não, modifique-se, reinvente-se!

_____
_____
_____
_____

5 – VOCÊ CONSIDERA QUE ESTÁ AJUDANDO O SUFICIENTE? MAIS DO QUE O SUFICIENTE? OU MENOS DO QUE O SUFICIENTE, SEGUNDO O SEU PRÓPRIO JULGAMENTO?

Pergunte-se sobre este item: eu estou no meu lugar? Eu estou cumprindo devidamente o meu papel?

Se a sua resposta for sim, siga em frente, se for não, modifique-se, reinvente-se!

_____
_____
_____
_____

6 – SE A SUA RESPOSTA FOI MENOS DO QUE O SUFICIENTE, ESCREVA AQUI E AGORA QUAL É O SEU PLANO DE AÇÃO PARA MUDAR ESSA REALIDADE.

_____
_____
_____
_____

SOBRE IMPRESSÕES QUE VOCÊ SENTIRÁ NESTE FLUXO:

- *A sua forma de ver o mundo vai mudar.*
- *Você terá muitos questionamentos em mente.*
- *Você precisa ter paciência, fazer a sua parte e simplesmente persistir e esperar.*
- *Você deve fazer as tarefas solicitadas em até no máximo sete dias após a leitura deste texto.*

A SUA PARTE:

Agora é a hora de mostrar que você está comprometida(o).

Anote todos os dias, em um diário, todas as mudanças positivas que você teve com a ativação do 5º Passo (FLUXO DA UNIÃO) e com o seu progresso até aqui.

De preferência, coloque o seu comentário no nosso site. Faça um vídeo, suba em seu canal do YouTube e depois nos envie o link para o grupo do site www.asuamissao.com.br (se você ainda não tiver um canal, crie a sua conta, pois é muito simples) assim poderemos usar o seu exemplo para inspirar mais pessoas.

Então até o 6º FLUXO!

6º FLUXO

A REFERÊNCIA

6º Passo – Faça por sete dias em seguida, após conclusão do 5º Passo

Neste 6º Passo (6º fluxo), eu vou lhe ensinar o poder maior de qualquer pessoa que já mudou o mundo. Este fluxo esteve plenamente aberto nas maiores almas que já pisaram no mundo, como é o caso dos Grandes Mestres da Humanidade (minha amiga Patrícia Cândido criou um site para falar exclusivamente desses seres: www.mestresespirituais.com.br). Esses seres como Jesus, Gandhi, Teresa de Calcutá, Moisés, São Francisco e tantos outros, estiveram 100% envolvidos pela força deste fluxo.

Eu não tenho a pretensão de dizer que você se transformará em um grande mestre espiritual, contudo eu posso lhe falar, com toda certeza, que, se você abrir esse fluxo, nunca mais será a mesma pessoa. Você certamente começará a envolver-se de uma força muito poderosa que abrirá o caminho da sua transformação para a missão da sua alma e para a sua plenitude pessoal.

ATENÇÃO ESPECIAL

Antes de ir adiante, eu preciso dizer-lhe algo importante:

Você não deve aplicar os ensinamentos deste fluxo até garantir que fez os anteriores conforme recomendado.

SOBRE O 6º FLUXO E COMO ATIVÁ-LO!

Este é **Fluxo da Referência**. Nessa vida, tudo está ligado a tudo. Somos feitos à imagem e semelhança do Criador Maior, certo?

Para analisar a força contida na habilitação deste fluxo, você precisa entender que tudo que nasce e se desenvolve neste planeta se processa graças às referências que vêm de outras forças. O Norte é a referência da bússola, o Sol e a Lua são referências para a Terra, o pai e a mãe são referências para os filhos.

A vida se desenvolve por referências. Moradores de um mesmo bairro têm a tendência de construir suas casas com estilos parecidos. Crianças têm o costume de brincar com atrativos parecidos com os de seus colegas. As pessoas têm o costume de falar de forma parecida em relação às regiões em que convivem (sotaques diferentes). É comum que regiões específicas de um país, de um estado e até de uma cidade tenham hábitos alimentares bem característicos. As referências determinam a forma como a vida se desenvolve.

Jesus, Moisés, Buda, Gandhi, Maomé, São Francisco até hoje servem de referência para a humanidade...

Por isso, para você ativar esse fluxo em sua vida, você precisará entender quais são as principais referências que influenciam quem você é e qual tipo de referência você se tornou.

ALGUMAS NOTAS IMPORTANTES:

1) Ser a referência é ser o exemplo. Mas você nunca poderá ser um exemplo positivo em nada se essa motivação não vier realmente da sua alma.

2) Na condição atual e no nível de evolução humana, você não conseguirá ser exemplo positivo em todas as áreas da vida, por isso, procure apenas alguns pontos fortes seus e concentre-se em deixá-los ainda mais evidentes. Todos temos muitos defeitos, mas todos temos qualidades exemplares e são nessas qualidades que você deve concentrar-se.

COMO ABRIR ESSE FLUXO
1) DESCUBRA O SEU PORQUÊ

Para explicar o que é isso eu quero falar de mim e do meu porquê. Vamos a ele:

Acredito que viver com o objetivo de encontrar e realizar a missão da alma é o caminho para uma vida feliz, saudável e próspera. Eu tenho uma força dentro do coração que me faz acreditar que é possível acabar com o vazio no peito que todo mundo sente em algum momento da vida. Acredito que a maioria dos problemas e sofrimentos do mundo estão relacionados a esse vazio. O meu porquê, o meu chamado pessoal, a minha razão é mostrar para o mundo que o caminho para a realização da missão da alma é o caminho para a profunda felicidade.

Essa força é algo muito forte em mim. Acredito nisso, vivo para isso e faço tudo que posso em relação a esse caminho.

Agora quero citar o caso de um amigo que é *personal trainer*. Ele diz que acredita que pode ajudar o mundo a emagrecer. Acredita com todas as suas forças que o mundo será muito melhor se as pessoas emagrecerem. Se você conversar com ele, sentirá essa energia em suas palavras e até em seu olhar.

Já um outro amigo diz que acredita que o empreendedorismo é uma força que pode mudar o Brasil. Ele fala isso com força e intensidade. Também trabalha nesse sentido de ajudar mais pessoas a empreenderem.

O seu porquê é um tipo de chamado interno.

Já vi pessoas que têm como "porquê" ajudar pessoas das mais diversas formas, já vi pessoas terem como "o porquê ajudar animais ou ainda, cozinhar com qualidade, ou mostrar que o mundo tem lugares lindos para visitação, ou mostrar que a educação é o caminho para o mundo melhor, ou pessoas que acreditam que a alimentação sem açúcar vai mudar o mundo, ou ainda pessoas que dizem que a prática do esporte é o equilíbrio de que o mundo precisa, ou pessoas que dizem que o seu porquê é mostrar para o mundo que o parto natural é o caminho para uma vida melhor, e assim por diante.

Espero que você tenha entendido o que é um "porquê" e que você possa descobrir o seu próprio porquê. Esse porquê é o chamado mais forte que a sua alma sente. É uma espécie de missão de vida ou pensamento sobre algo que você acredita que pode melhorar.

1) O seu trabalho é agora encontrar o seu porquê. Mas, atenção, ele deve ser escrito em no máximo cinco linhas e deve estar bem claro na sua mente.

_____
_____
_____
_____

2) DESCUBRA O SEU PONTO FORTE.

Deixe bem claro na sua consciência o seu maior valor, aquilo que Deus pode contar com você porque saberá que você é muito forte nesta qualidade.

Agora eu quero que você escreva as três (no máximo, mas se preferir pode escrever uma ou duas) maiores qualidades que você tem.

É paciência? É tolerância? É persistência? É fé? Otimismo? Confiança? Disciplina? O que mais poderia ser?

Para você localizar exatamente o seu PONTO FORTE, preste atenção nos maiores elogios que você recebe ou já recebeu de pessoas próximas. Também preste atenção em algo da sua personalidade que você já sabe que é algo acima da média.

Eu quero lhe dizer PONTOS FORTES meus para que você tenha facilidade de localizar os seus. Tenha certeza: todo mundo tem pontos fortes!!!

Sobre mim:

Eu sou muito: 1) Persistente, pois não desisto nunca e sempre termino o que começo. 2) Sou muito criativo, tenho muitas ideias e muita facilidade para criar coisas novas. Eu realmente sou muito bom nessas duas qualidades.

Sinceramente, tenho mais uns dois ou três Pontos Fortes que realmente posso me alegrar em dizer, mas o fato é que esses dois que citei anteriormente são realmente mais evidentes.

Agora é com você, escreva de um a três PONTOS FORTES seus!

_____
_____
_____
_____

O QUE ENTENDER DESSES DOIS EXERCÍCIOS?

Quando você fixar plenamente na sua consciência os seus PONTOS FORTES e o SEU PORQUÊ, as suas referências mudam completamente.

Eu vou repetir: as suas referências mudam completamente!!!

Infelizmente, na correria do dia a dia, você se sintoniza com pensamentos, emoções, sentimentos e energias psíquicas que fazem você se esquecer de quem você é: esse é o ponto.

O EXERCÍCIO COMPLETO DO 6º FLUXO – RESUMO

1) Todos os dias, escreva em um papel o seu porquê e depois leia três vezes. Pode ser que nos primeiros dias ele ainda esteja confuso. Pode ser que você ainda nem tenha localizado precisamente o que é o seu porquê. Tudo bem, não deixe de fazer o exercício diariamente mesmo assim. Eu lhe garanto que, no fim do período de sete dias, tudo fará sentido.

2) Todos os dias, repita em voz alta: Deus, seres de Luz, Universo, Criador Maior, Existência, Natureza (faça uma referência a uma força maior ou um sentido maior de acordo com a sua crença) pode contar comigo e com as minhas qualidades…. (escreva quais são os seus Pontos Fortes). Eu faço o mundo melhor com a minha (diga o Ponto Forte 1) e (diga Ponto Forte 2).

3) Escreva o seu mantra pessoal que é a combinação do seu porque com os seus Pontos Fortes. Aqui você deve escrever

o resumo do seu porquê e dizer que, com os seus Pontos Fortes, vai ajudar a melhorar o mundo e a sua vida. (Leia 3x em voz alta)

_____
_____
_____
_____

PARA VOCÊ ENTENDER O EXERCÍCIO, VOU EXPLICAR COM O MEU PRÓPRIO EXEMPLO

∴ *Meu PORQUÊ (Minha Razão)*

Eu acredito que, quando uma pessoa encontra e realiza a missão da sua alma, ela se ilumina em todos os sentidos. O meu porquê é fazer com que mais pessoas consigam chegar a esse estado de espírito. (Ler 3 x em voz alta)

∴ *Meus PONTOS FORTES:*

DEUS, Pode contar com a minha Persistência e Criatividade. Eu sou uma grande contribuição para o mundo quando eu ofereço a minha Persistência e Criatividade. Eu faço a minha vida muito feliz e plena com a minha elevada Persistência e Criatividade. (Ler 3 x em voz alta)

∴ *Meu Mantra para o Fluxo da Referência*

Eu melhoro a minha vida e melhoro o mundo oferecendo a minha Persistência e Criatividade para fazer com que as pessoas encontrem e realizem a missão de suas almas. (Ler 3 x em voz alta)

AVISOS IMPORTANTES

- *Faça esse exercício no mínimo 1 x ao dia durante o período de sete dias deste fluxo, mas você pode repetir quantas vezes quiser.*
- *Cada vez que fizer, você precisa escrever em um novo papel.*
- *Os papéis velhos, dos dias anteriores podem ser guardados ou jogados fora. Faça o que quiser com eles.*
- *Procure associar os ensinamentos dos fluxos anteriores a este fluxo. Você pode repetir as afirmações anteriores sempre que quiser, inclusive, se tiver vontade, poderá fazer em paralelo com estas lições do 6º Fluxo.*
- *Procure fazer o exercício deste 6º Fluxo com muita clareza mental. Mesmo que você seja rápido no exercício, faça com muita entrega e dedicação.*
- *Faça o exercício por sete dias.*

O QUE VOCÊ VAI PERCEBER AO PRATICAR OS EXERCÍCIOS DO 6º FLUXO

- *Seu poder pessoal atingirá níveis incríveis.*
- *Sua autoestima ficará elevada.*
- *Seu senso de direção ficará muito aguçado.*
- *A sua intuição ficará aguçada.*
- *Você conquistará muita força para superar problemas.*

∷ *Como a sua confiança estará em alta, tenha cuidado para que o seu excesso de confiança não se torne arrogância ou soberba.*

∷ *Você começará a ver o mundo de uma forma diferente, por isso é possível que algumas máscaras comecem a cair, tanto de situações quanto de pessoas.*

A SUA PARTE

Agora é a hora de mostrar que você está comprometida(o).

Anote todos os dias, em um diário, todas as mudanças positivas que você teve com a ativação do 6º Passo (FLUXO DA REFERÊNCIA) e com o seu progresso até aqui.

De preferência, coloque o seu comentário no nosso site. Faça um vídeo, suba em seu canal do YouTube e depois nos envie o link para o grupo do site www.asuamissao.com.br (se você ainda não tiver um canal, crie a sua conta, pois é muito simples) assim poderemos usar o seu exemplo para inspirar mais pessoas.

Eu acredito que, quando compartilhamos os nossos resultados com outras pessoas que também têm aspirações parecidas, ampliamos os nossos benefícios e principalmente doamos força para mais pessoas conseguirem ótimos resultados também!

Então até o 7º FLUXO!

7º FLUXO

A VERDADE

7º Passo – Faça por sete dias em seguida, após conclusão do 6º Passo

Neste Passo 7 (7º Fluxo), eu vou lhe mostrar o que concluí ser a matriz causal do ser humano, ou seja, o princípio que rege tudo.

Este fluxo é aberto quando a pessoa está plenamente consciente de seus passos, quando ela sabe quem ela é, sabe o que quer da vida, aonde quer chegar, pelo que quer viver e está completamente concentrada em seu propósito maior.

Todos os problemas graves que surgem ao longo da vida são dissolvidos e enfrentados de cabeça erguida com a força deste Fluxo Aberto.

Janelas se fecham e portas se abrem com a força desse Fluxo Aberto.

Todas as pessoas que conseguiram grandes feitos em suas vidas estavam plenamente magnetizadas com a força deste fluxo. E os Grandes Mestres da humanidade, como Jesus, Chico Xavier, Gandhi, Teresa de Calcutá, São Francisco de Assis, entre outros, foram exemplos vivos de que, com a força do 7º Fluxo aberta, qualquer ser pode mudar a sua vida e mudar o mundo.

Mais uma vez, eu preciso lembrar que o seu e o meu objetivo agora não é o de se tornar um Grande Mestre, entretanto é sensato dizer que podemos seguir os seus exemplos.

ATENÇÃO ESPECIAL

Antes de ir adiante, eu preciso lhe dizer algo importante. Certamente se você chegou até aqui, já deve ter lido isso nas lições anteriores. Mesmo assim eu vou lhe alertar novamente:

Você não deve aplicar os ensinamentos deste fluxo até garantir que fez os anteriores conforme recomendado. Não é a aplicação das lições isoladamente que resultam em transformações na sua vida, mas a aplicação das lições seguindo a sequência de 1 a 7.

SOBRE O 7º FLUXO E COMO ATIVÁ-LO!

Este é o Fluxo da Verdade que é aberto basicamente como consequência da resultante da abertura dos seis fluxos anteriores.

Apenas para recordar, os 7 Fluxos são:

1 – Fluxo do Propósito

2 – Fluxo da Matriz Básica

3 – Fluxo da Direção

4 – Fluxo do Hábito

5 – Fluxo da União

6 – Fluxo da Referência

7 – Fluxo da Verdade

A palavra verdade vem do Latim *veritas* que significa verdadeiro ou real.

No dicionário, você pode encontrar alguns dos significados como "conformação", "adaptação", "harmonia", "demonstrar sinceridade" ou "pureza de sentimentos".

Ainda filosofando sobre o sentido da palavra verdade, percebi muitos significados para a profunda citação do mestre Jesus, que diz: "Conhecereis a verdade e ela vos libertará". Ainda que essa frase tenha muitas variações, todas elas fazem referência à importância em se viver a verdade a cada ato.

O objetivo aqui é que você perceba que não pode ter prosperidade, felicidade, e saúde se não viver a verdade, da verdade e para a verdade, em cada ato.

- **A verdade é o amor.**
- **A verdade é a retidão de caráter.**
- **A verdade é a raiz que segura uma grande árvore.**

Quando você vive a verdade em cada ato, está em congruência ou em sintonia com todas as leis do universo e por isso a vida fica mais fácil de ser vivida.

Este fluxo pede que você viva de forma 100% íntegra, porque ele fala da causa e efeito, do carma ou da lei de ação e reação.

Nesse contexto, podemos afirmar que tudo, exatamente tudo que acontece na sua vida é consequência dos seus atos. Todo o conjunto de pensamentos, sentimentos e atitudes de agora e do passado se transformam em um aglomerado de energias mais ou menos sutis que determina o seu magnetismo e sua frequência energética pessoal, que no livro *O criador da realidade*, a vida dos seus sonhos é possível (conheça o site www.ocriadordarealidade.com.br), eu e a Patrícia Cândido, chamamos de ponto de atração.

O que eu quero dizer é que o poder da sua integridade em cada ato com o mundo externo, com as outras pessoas e com você mesmo é o que determina basicamente a abertura do seu 7º fluxo que vai ajustar plenamente o rumo da sua vida.

Especialmente neste passo você não pode se auto-boicotar.

- *Não pode se enganar;*
- *Não pode contar mentiras para si mesmo;*
- *Não pode sonegar imposto (algumas pessoas detestam quando eu falo isso), comprar sem nota fiscal, piratear CD, e agir com o jeitinho brasileiro;*
- *Não pode trair os demais e nem trair os seus próprios princípios;*
- *Não pode se corromper de jeito nenhum, tampouco mudar o seu propósito, sonhos e valores para ser aceito por pessoas próximas, como marido, esposa e familiares.*

Como assim não posso nada disso?

O que eu quero dizer é que, se você comete esses erros considerados até normais para o estágio de evolução da humanidade, você não ativa o fluxo da verdade, ou seja, não abre o seu sétimo fluxo.

Cada ato desviado da sua verdade e da verdade maior faz com que você perca força e prejudique o seu magnetismo.

Simples assim!

Você não pode achar desculpas ou justificativas para esse fato... Só existe uma verdade absoluta, a verdade de Deus, do universo e das leis naturais. As demais verdades que nós seres humanos defendemos com base em nossas crenças são verdades relativas. Portanto, deixe de lado argumentos que não lhe façam crescer, aceite as suas limitações e comece agora, com amor e paciência, a fazer os ajustes que você entende que sejam necessários.

Por isso, o que estou falando aqui é um tanto quanto polêmico, porque gera um grande desconforto e pode ser interpretado por você como uma verdade relativa. É que sou eu, um simples mortal cheio de falhas quem está falando, e não um ser de luz. Se lhe passou na mente esse pensamento, saiba que o respeito, pois talvez eu também estaria com esse pensamento se estivesse no seu lugar.

Por isso, só resta uma alternativa, já que você chegou até o 7º fluxo:

1- Ou você me ignora e interrompe a abertura dos fluxos agora, porque acha que não valeu a pena, e que o que estou dizendo é balela.

2- Ou você testa, mesmo com desconfiança, o que eu estou explicando, e assim você verá que o que falo está baseado em leis naturais e nos ensinamentos dos grandes mestres.

De qualquer maneira, se você desistir por achar que estou errado, escolhendo a opção 1, você nunca vai saber se é você ou sou eu quem está realmente certo, concorda?

Como o meu objetivo é ajudá-lo a mudar o rumo da sua vida e encontrar a missão da sua alma, eu recomendo apenas que você se analise com base nos efeitos provocados pelas práticas dos fluxos anteriores.

Tenho certeza de que se você realmente fez direito a sua parte, a sua vida já mudou completamente e esse resultado deve ser mais do que o suficiente para que você saiba o que fazer agora.

ALGUMAS NOTAS IMPORTANTES:

1) Viver a verdade em cada ato implica fazer mudanças radicais que podem afetar as pessoas ao seu redor. Recomendo firmemente que você não fique buscando a aceitação das outras pessoas, mas sim a realização do seu propósito. Contudo, qualquer comportamento que você tiver em relação ao que você está aprendendo deve ser carregado de respeito em relação às outras pessoas.

Eu quero dizer que você não pode ficar fazendo cobranças para que as pessoas à sua volta pensem como você. Se você começar a exigir que seu marido, esposa, filho, pai, chefe, funcionário, amigo ou amiga mude de comportamento agora, você se tornará uma pessoa muito arrogante e mostrará com isso que não entendeu nada sobre o Fluxo da Referência.

Esqueça as outras pessoas, é sério! Esqueça mesmo, agora é só com você, seja o exemplo, seja a verdade. Ninguém é culpado por nada, coloque isso na sua cabeça definitivamente, tudo é causa e efeito, tudo obedece ao fluxo da verdade.

2) Na condição atual e no nível de evolução humana, você não conseguirá viver da verdade plenamente em todas as

áreas da sua vida porque, assim que você começar a se analisar, perceberá centenas de pontos em que você está se autocorrompendo, infringindo regras e agindo de forma dissonante. O grande segredo não é pegar um chicote e aplicar uma punição severa nas suas costas, mas, com serenidade e foco, gerar atitudes constantes no sentido de mudar a sua vida.

Tenha paciência com os seus erros, mas não perca o foco.

COMO ABRIR ESSE FLUXO

Resumidamente, a forma de abrir o 7º Fluxo é praticando todas as lições dos fluxos anteriormente, disciplinadamente conforme eu sugeri. Mesmo assim, há pontos essenciais em que você precisa refletir para melhorar os seus resultados, portanto, entenda essa análise séria e dedicada como a sua tarefa principal neste fluxo.

1) ANALISE AS PRINCIPAIS ÁREAS DA SUA VIDA E REFLITA

- *Na vida profissional, você vive a sua verdade?*
- *No seu convívio familiar, você vive a sua verdade?*
- *No relacionamento com outras pessoas, você vive a sua verdade?*
- *Na hora de comprar, vender, fazer negócios, lidar com dinheiro, você vive a sua verdade?*
- *Na hora de fazer a sua parte em qualquer tipo de situação, você vive a sua verdade?*
- *Quando os problemas acontecem, os conflitos surgem, você vive a sua verdade?*

2) NOS MOMENTOS DE DECISÃO, A VERDADE DEVE SER SEU GUIA.

Como qualquer pessoa na vida, você tem momentos diários em que decisões precisam ser tomadas. Existem decisões mais sérias e complexas, mas também existem as mais simples e corriqueiras.

Sempre, em todos os casos que você for tomar uma decisão, respire fundo por três vezes, feche os olhos por um minuto e eleve os pensamentos a Deus ou à Vontade Maior. Então diga mentalmente: eu convoco a Verdade Maior para que a minha verdade seja a mesma de Deus.

Então abra os olhos, reflita e decida. Faça disso o seu ritual para todas as suas decisões e você já começará a sentir o Fluxo da Verdade crescer a cada dia em você.

∴ **O Mantra para o Fluxo da Verdade**

Vivo a verdade da minha alma e convoco a Verdade Maior em cada ato da minha existência.

O QUE ENTENDER DESSES DOIS EXERCÍCIOS?

Que você não pode burlar as leis maiores e que os seus hábitos desalinhados com a Verdade Maior precisam ser modificados.

Tudo tem uma causa, uma matriz e uma verdade. Quando você se alinha à sua verdade interna, o Universo se revela de forma renovada e impactantemente positiva. A magia da vida plena se faz!

O EXERCÍCIO COMPLETO DO 7º FLUXO – RESUMO

1) Aplique o mantra das decisões citado acima em qualquer momento que você precisar decidir algo.

2) Aplique a autoanálise que eu citei acima, anote os pontos em que você não vive a sua verdade e determine um plano de ação para corrigir cada ponto que você precise melhorar.

3) De agora em diante, assim que terminar os exercícios do 7º Fluxo, você vai refazer todos os exercícios dos módulos anteriores em um ciclo de três dias cada um dos fluxos.

Exemplo: três dias os exercícios do 1º Fluxo, depois três dias os exercícios do 2º Fluxo e assim por diante.

4) Sempre que você concluir um ciclo completo com os exercícios de cada fluxo, você deve fazer uma análise e se dar uma nota de 0 a 10 para cada fluxo na sua simples avalição.

Então, avalie-se apenas depois de concluir uma rodada de três dias por fluxo.

Qual é a nota de 0 a 10 que eu me dou para o:

1º Fluxo [Nota:_____]

2º Fluxo [Nota:_____]

3º Fluxo [Nota:_____]

4º Fluxo [Nota:_____]

5º Fluxo [Nota:_____]

6º Fluxo [Nota:_____]

7º Fluxo [Nota:_____]

MUITO IMPORTANTE!

∴ *Depois de dar as notas, avalie se tem algum que está abaixo de 7.*

∴ *Agora, você deve recomeçar o ciclo, fazendo três dias em seguida, somente os exercícios dos fluxos em que você está com nota abaixo de 7.*

∴ *Então, depois que finalizar a rodada de três dias de exercícios para cada um dos fluxos que você estava com nota abaixo de 7, volte a análise e reavalie as notas para ver se você está maior ou igual a 7.*

∴ *Se novamente você detectar que um ou mais fluxos estão abaixo de 7, repita o processo de praticar três dias os exercícios do referido fluxo com nota baixa.*

∴ *Se você concluir que está com nota acima de 7 em tudo, então recomendo que você crie o hábito e faça uma prática por dia, do fluxo que você escolher (escolha livre). Ou se preferir, faça todo dia o exercício de um fluxo, seguindo a sequência de 1 a 7 e, quando chegar ao último, comece novamente o ciclo a partir do 1.*

A grande verdade é que, quando você chegar a este ponto, você saberá qual é a melhor forma de manter os 7 Fluxos abertos, pois o universo sempre dá sinais!

ATENÇÃO

Se, por algum motivo, mesmo depois de ter conseguido notas acima de 7, você perceber que oscilou emocionalmente e que se encontra em grande conflito ou desequilíbrio, eu recomendo que você comece do zero, desta vez, aplicando três dias em seguida a lição de cada fluxo.

O QUE VOCÊ VAI PERCEBER AO COMPLETAR ESSE CURSO E ABRIR OS 7 FLUXOS:

- *Seu poder pessoal atingirá níveis incríveis.*
- *Sua autoestima ficará elevada.*
- *Seu senso de direção ficará muito aguçado.*
- *Você se tornará o "sortudo da turma".*
- *Terá vontade de fazer coisas que nunca se interessou e achará um grande prazer nisso.*
- *Terá total confiança na sua intuição.*
- *Conquistará muita força para superar problemas.*
- *Sua proteção espiritual e energética ficará muito forte.*
- *Você ficará com o seu senso crítico muito forte e tenderá a ser um formador de opinião. Por isso é provável que você queira se tornar um professor, escritor, filósofo, ativista, etc.*
- *Tenha muita paciência em aceitar as decisões de outras pessoas, mesmo que elas pareçam ridículas e inaceitáveis para a sua nova forma de ver a vida.*

A SUA PARTE

Agora é a hora de mostrar as suas mudanças e o seu comprometimento!

Anote todos os dias em um diário, todas as mudanças positivas que você teve com a ativação do 7º Passo (FLUXO

DA VERDADE) e com toda a transformação de vida que você teve até agora.

    De preferência, coloque o seu comentário no nosso site. Faça um vídeo, suba em seu canal do YouTube e depois nos envie o link para o grupo do site www.asuamissao.com.br (se você ainda não tiver um canal, crie a sua conta, pois é muito simples) assim poderemos usar o seu exemplo para inspirar mais pessoas.

    Eu acredito que, quando compartilhamos os nossos resultados com outras pessoas que também têm aspirações parecidas, ampliamos os nossos benefícios e principalmente doamos força para mais pessoas conseguirem ótimos resultados também!

EU ACREDITO...

Parabéns e obrigado!

Você chegou até aqui e isso já demonstra o quanto você também acredita que uma mudança profundamente positiva é possível.

Eu tenho a vida dos meus sonhos!!! Mas entenda, não estou falando isso para me prevalecer... Definitivamente não tenho esse objetivo. O que quero é alertá-lo para o fato de que eu estava perdido um tempo atrás e consegui mudar tudo. Fui até o fundo do poço e consegui mudar o rumo da minha vida...

Você pode achar que sou um professor de autoconhecimento e por isso foi fácil para mim e que para você não será tão simples assim. Mas lhe digo com toda minha boa intenção: sou o que sou hoje porque apliquei esses mesmos passos para mudar a minha vida e o fato curioso é que só sou professor e escritor exatamente porque aprendi esses mesmos ensinamentos que estou compartilhando com você.

E a minha alegria neste momento é saber que você pode mudar o rumo da sua vida completamente. Eu acredito que, quando você encontrar e viver a missão da sua alma, a alegria, a paz, a prosperidade, a saúde e os bons relacionamentos encontrarão você.

E é por isso que tenho esse compromisso em fazer com que muito mais pessoas encontrem esse mesmo caminho de mudança que eu encontrei. É por isso que estou sempre motivado a fazer a minha parte e digo: pode ter certeza de que não descansarei nesse propósito.

Acredite, siga em frente, dê o primeiro passo! Você pode! Você tem o poder de mudar tudo, hoje e sempre!

Sei que você consegue. Sei que você tem uma chama interna que alimenta o magnetismo da sua alma.

Agradeço o seu empenho e a sua vontade de mudar o mundo!

Que você viva a sua verdade, que encontre e realize a sua missão.

A sua missão é o seu maior bem! Encontre-a! Assim, a felicidade, a autoestima, a saúde, os bons relacionamentos e a prosperidade encontrarão você!

Que eu, meus sócios e minha equipe (porque não criei esse material sozinho) possamos ter contribuído para a sua transformação!!!

Que o meu propósito tenha se cumprido ao construir essa proposta e este livro.

E que possamos continuar nos encontrando no blog www.asuamissao.com.br e que você acesse a sequência de vídeos gratuitos (inscreva-se agora no www.asuamissao.com.br/livro e acesse) que preparei para você continuar a sua jornada de transformação pessoal. Eu o encontro nos vídeos!

Nós somos um só!

Eu sou o outro você!

Eu sou nós! Eu sou nós! Eu sou nós!

Eu agradeço por sua existência!

Com amor!

Bruno J. Gimenes

DECISÕES
Encontrando a missão da sua alma
Bruno J. Gimenes

É um livro esclarecedor que mostra formas simples e eficientes para ajudar você a tomar decisões sábias, encontrar e realizar a missão de sua alma, produzindo em sua vida efeitos intensamente positivos.

ISBN: 978-85-64463-08-0
Edição: 3ª
Páginas: 168
Formato: 16x23cm

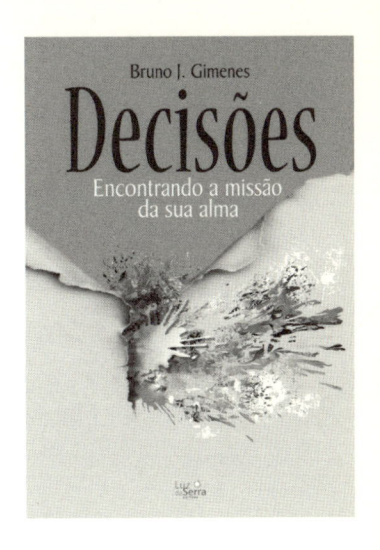

CONEXÃO COM A PROSPERIDADE
Saiba porque você ainda não encontrou a prosperidade e aprenda já como construir o seu novo caminho.
Bruno J. Gimenes e Patrícia Cândido

Sucesso, abundância, prosperidade e riqueza não são uma questão de sorte, mas de conhecimento, empenho e dedicação. Muito mais do que isso, é uma questão de conexão e sintonia de pensamentos e emoções. Nesta obra, os autores revelam todos os segredos da Conexão com a Prosperidade, um estado mental e emocional que o levará a uma vida plena de conquistas e realizações em todos os aspectos que você deseja.

ISBN: 978-85-64463-21-9
Edição: 1ª
Páginas: 160
Formato: 16x23cm

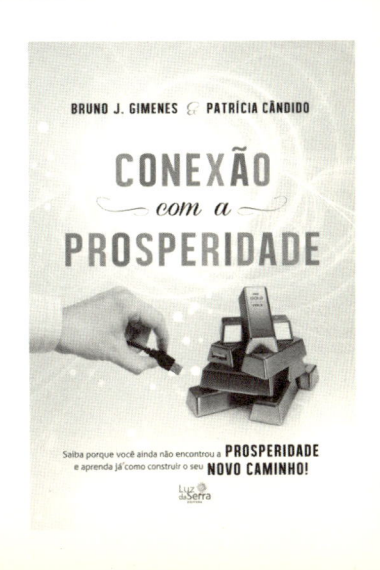

AME QUEM VOCÊ É
Saiba que a melhor escolha é a sua
Cátia Bazzan

Com a ajuda desta obra, teremos a oportunidade de analisar profundamente as escolhas que fizemos em nossas vidas. Também podemos conhecer o que é mais importante para estarmos em sintonia com nossa essência, amando e contemplando a nós mesmos.

ISBN: 978-85-64463-02-8
Edição: 1ª
Páginas: 148
Formato: 16x23cm

O CRIADOR DA REALIDADE
A vida dos seus sonhos é possível
Bruno J. Gimenes e Patrícia Cândido

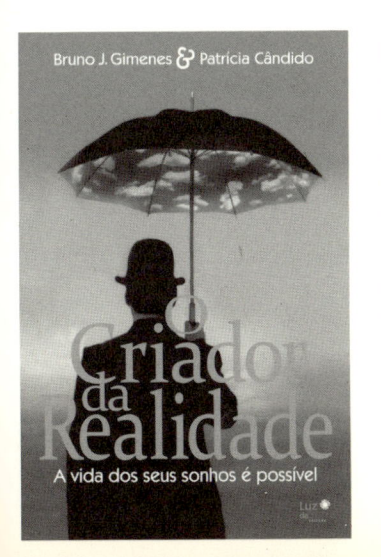

De forma direta e eficiente, oferece todas as informações que você precisa saber para transformar a sua vida em uma história de sucesso, em todos os sentidos: saúde, relacionamentos, dinheiro, paz de espírito, trabalho e muito mais.

ISBN: 978-85-7727-234-1
Edição: 3ª
Páginas: 128
Formato: 14x21cm